絶叫学級

黄泉に眠る記憶 編

いしかわえみ・原作/絵
はのまきみ・著

集英社みらい文庫

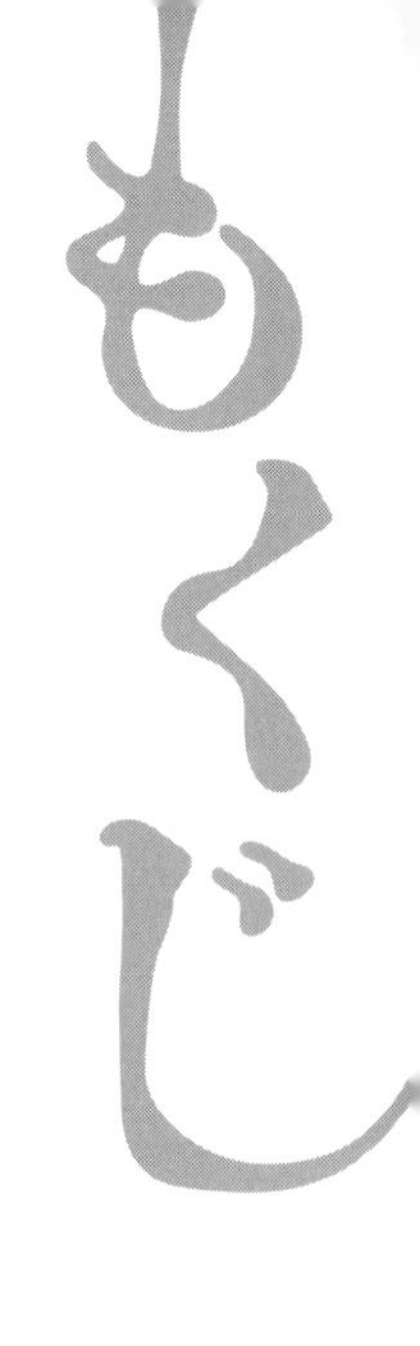

もくじ

136時間目

既読をつけてはいけない

プロローグ

みなさん、こんにちは。
絶叫学級へようこそ。
私の名前は黄泉。
恐怖の世界の案内人です。
チャームポイントは、ふわりとゆれる長い髪と、猫のように金色に輝く瞳。
どうです？　なかなかステキでしょう？
ただし、下半身は見えないかもしれませんが…………。
自己紹介はこのくらいにして、早速授業をはじめましょう！
みなさんは、メッセージアプリを使っていますか？
スマートフォンがあれば、いつでもどこでも友だちや家族とつながれる、便利なアプリです。

仲のいいグループで、メッセージをやりとりすることもできます。

でもたまに、こんなことがあるようです。

それは、「友だちだけのグループに、ある日、知らない人からメッセージがとどく」こと。

今回の授業に登場する少女たちにも、とどいてしまいました。

そのメッセージに既読をつけると――一体どんなことが起きるのでしょう？

おそろしいことでなければいいのですが……。

時刻は夕方の六時すぎ。

田中ヒナの家では、もう夕食の時間だ。

弟と父はダイニングテーブルにつき、母は料理をもった皿を運んでいる。

ところが中学二年生のヒナだけは、リビングルームのソファに座り、両手でにぎったスマートフォンの画面を食い入るように見つめていた。

「ヒナー。ごはんよー」

母親の声が聞こえてきた。

しかしヒナは返事もせず、きゅっとくちびるをひきむすんで画面を見つづけている。

勉強をしているときよりも、よっぽど真剣な表情だ。

（いまはそれどころじゃないの）

表示されているのは、クラスメイト四人でつくったメッセージアプリのグループトークルーム、〈なかよち♡グループ〉。
友だちへの返信は、一秒でも遅れれば命とり。空気を読んで、テンポよく返事しないと、「つまんないやつ」とか「無視した」とか言われてしまう。

RIN〈B組の花野ってまじうざいよね〜〉18：20
美桜〈わかる　自分のことカワイイって思ってるくせに　自分なんて〜とか言ってんのほんとムリ〉18：20
結月〈ブスなくせになｗｗ〉18：20

ついさっきまで担任の先生のうわさ話をしていたのに、もう話題が変わっている。
（急に変わってるし！　いつの間に花野さんの話？）
こうやって新しい話題を振ってくるのは、たいていが「RIN」こと青野りん。
クラスで一番目立っている女の子だ。

いつもカラフルなピンで、左のこめかみあたりの髪をとめ、チャームポイントにしている。それを真似すると、すごく怒る。

りんのアイコンは、堂々と正面をむいた自撮り写真だった。

ニックネーム「美桜」は、大人っぽい清楚系女子の鈴木美桜。アイコンは横顔。

ニックネーム「結月」は、クール系女子の藤井結月。アイコンはうしろ姿。

(自撮り写真とか、自信がないと使えないよね………)

ヒナのアイコンは、猫のような犬のような、みょうちきりんな動物のイラストだった。

三人にくらべると、ヒナは雰囲気が地味だし、あかぬけない。子どもっぽいツインテールの髪型は、中学に入学したころからずっと変えていない。

RIN〈カワイイとか思ってんの　本人だけ〉　18:20

美桜〈あざとすぎなんだよね〉　18:21

結月〈キモ〉　18:21

（B組の花野さん、めっちゃ悪口言われてるじゃん。あの子、おっとりしてて男子にモテるもんね。りんたちに「あざとい」って思われてもしょうがないか……）

花野香のことを、ヒナは別に嫌っているわけではなかったけれど、ここは空気を読んで話を合わせておかないといけない。

（早くなにか言わなくちゃ。ええと、ええと……そうだ！）

ヒナはニヤッと笑い、スマートフォンのフォルダからふたつの写真を選んだ。

花野香の写真と、カピバラの写真だ。

（ぼーっとしてるところが、なんとなく似てる。うん）

ヒナ　〈花野さん　似てない？〉　18：22

トーク画面に、花野香とカピバラの写真がならんで表示されたとたん、みんなからのメッセージがいきおいよく流れた。

RIN　〈似てる〜!!〉　18:22
美桜　〈ヒナ最高!!〉　18:22
結月　〈やめろｗｗ〉　18:22

三人の反応をたしかめたヒナの目が、キラッと輝く。

（やった！　ウケた！）

けれど次の瞬間、ヒナの手からスマートフォンがなくなった。

「へっ？」

振りかえると、母親がソファのうしろに立っていた。ヒナのスマートフォンをにぎり、カンカンに怒っている。

「ヒナ!!　いいかげんにしなさい！」

「ちょっと!!　かえしてよーっ！」

と、手をのばす。

「ダーメ！　ごはん食べなさい」

ポチ
ポチ
ヒナ
花野さん
既読４
18:22
ポーン
ジュポポポポ
似てる～!!
RIN
18:22
ヒナ最高!!
美桜
18:22
やめろww
18:22
ヒナ!!
はっ
いい加減にしなさいっ

ヒナはソファの背からのりだすようにして、スマートフォンを奪いかえした。

「ごはん食べてからじゃ遅いの！　早く返信しないと、無視してるみたいじゃん」

そう言うと、ぷいっと顔をそむけ、ふたたびスマートフォンの画面とにらめっこをはじめた。

母親はあきれかえり、低い声で言いすてる。

「好きにしなさい。もう知らないからね」

そして、くるりときびすをかえして、ダイニングへ戻っていってしまった。

ヒナはぼそっとつぶやく。

「お母さんはわかってない。子どもは大変なんだよ――」

(だって、私以外の三人はおしゃれでかわいい)

三人が恋の話をしていても、まだ恋をしたことがないヒナは、輪に入っていけない。

三人はメイクも上手で、プチプラコスメをたくさん持っている。

駅前に新しくできたセレクトショップのことも、流行りのダンス動画のことも、三人はいつも先に見つけ、ヒナだけが出遅れる。

(正直、話題についていくので精一杯)

すっかり疲れてしまったヒナは、遠くを見やった。

「でも、せっかくグループに入れてもらったんだもん。はずされないようにしなきゃ」

一度はずされたら、絶対に戻してもらえない。

ヒナがいなくても、三人は楽しく学校生活を送るにちがいなかった。

「がんばるぞーっ」

気合いを入れなおして、画面に視線を落とす。

すると、奇妙なことに気づいた。

カピバラ画像の横に表示されている「既読数」がおかしいのだ。

既読4

(…………ん？　三人で読んでるんだから、ひとり多くない？)

このグループトークルーム〈なかよち♡グループ〉のメンバーは四人。読んでいるのはヒナ以外の三人だから、既読数は「3」になるはず。

「他のメッセージも既読4だ。なんで？」

ほんの数十分前までは、こんなおかしな表示ではなかったはずだ。

「バグかな……？」

ヒナは画面をまじまじと見つめながら、首をかしげた。

（まあ、いいや。放っておけば、そのうち直るよね）


次の日。

ヒナは三人を笑わせるために、あるネタをしこんで学校に行った。

メガネのレンズ部分に目の写真が貼ってある、「おもしろメガネ」を持っていったのだ。

かけるとニヤニヤしたたれ目の変顔になる、パーティーグッズだ。

「おはよー」

ヒナが教室に入ると、三人はりんの席のまわりに集まっておしゃべりをしていた。

「遅いじゃん、ヒナ」

「えへへ、ごめ～ん」

ヒナは、椅子に座るやいなや、持ってきたおもしろメガネをかけて三人を見まわした。

「見て見て～」

たれ目の変顔になったヒナを見て、三人がいっせいに噴きだす。

「きゃはははは！」

「もう勘弁して、ヒナ～～」

「あははは！　ちょっとなにそれ、ウケる～！」

「これね、雑貨屋さんで見つけて思わず買っちゃってさー」

と、ヒナはメガネをかけた変顔で、ぐっとりんに近づく。

りんは、さらに大きな声で笑った。おなかを抱えて前かがみになるほどだ。

「ひーっ、あはははっ、腹筋痛っ…………」

「本当、おもしろいんだから」

ふだんはすまし顔をしている美桜も、笑いがとまらないようだ。

（よかったぁ、めっちゃウケた！）

ヒナはほっとした。これでスベッたら目もあてられない。

結月が、早速スマートフォンのカメラをヒナにむけた。結月は、四人のなかで写真を撮るのが一番好きな子だ。

パシャッ、と乾いた音がひびく。

「いま、撮ったからシェアするね～」

りんと美桜は「ありがとー」と、自分のスマートフォンを手にとる。

ところが突然、結月が顔をしかめた。

「ん？」

と、画面をのぞきこむ。

「なにこれ。『既読4』って、多くね？」

りんが大きくうなずいた。

「あ、それ私も思った。昨日の分でしょ？　なんかアプリが変だよね」

美桜が、「え、結月も？」と、結月のスマートフォンを横からのぞく。

「本当だ。私だけじゃなかったんだ」

りんが、わざとらしく目を細め、おどすようにみんなを見まわす。

「花野の生き霊だったりして…………」

「まさかぁ」と美桜。

「んなわけあるかっ」と結月。

「「「あははははは！」」」

三人はおもしろそうに笑いだした。

そんななか、メガネをはずしていたヒナは、またひとり出遅れてしまった。あわててスマートフォンをつかんで、アプリのアイコンをタップする。

「写真送ってくれたんだよね？　ありが――――」

と、グループトークルームに表示された画像を見て、思わず息をのんだ。

「ん…………？」

それは、さっき結月が撮ったヒナの写真ではなかったのだ。

他の三人にも同じ写真が送られてきたらしい。そろって目をまるくし、写真に見入っている。

「なにこれ？」

写っているのは、校庭にあるケヤキの大木。

雨降りの日の写真らしく、地面はぬれている。

ケヤキの根本を背に、制服を着た女子生徒が座っている。

眠っているのだろうか、彼女の両手はだらりと横にたれ、両脚も前へ投げだされていた。

奇妙なのは、女子生徒が座っているすぐそばに、われた石が落ちていることだ。

「キモくない？」

と、りんがひきつった顔をする。

「この子、寝てるの？　なんだか死んでるみたいじゃない？」

「ないない。そんなわけないって」

と、美桜と結月が笑う。

しかしりんは、気味が悪くてしかたがないようだ。

「それにさ、誰よ、このアイコン」

この写真を送った人のアイコンは、顔写真でも動物の写真でもない。ただ真っ黒にぬりつぶされているだけだ。こんなアイコンは、いままで見たこともなかった。

しかも、表示されているニックネームは〈？？？〉。これでは名前もわからない。

結月がぽつりと言った。

「これ……りんじゃない？」

「は？　私こんなアイコン知らないよ。私のこと疑ってるわけ？」

「ちがうって。送った人じゃなく、写真に写ってる子のことだよ」

「……はぁ？」

りんが、むすっとして写真に目を落とす。

言われてみればたしかに、ケヤキの根本に座っている女子生徒は、りんのように見えた。

髪をとめているカラフルなピン、ワイシャツの上に着ているセーターの色、胸もとのリボンの結び方。

どれも、りんの特徴とぴったり合う。

「知らないってば。私じゃないから。こんなの、私の真似してる人にきまってるじゃん。てか、このアイコン、誰なのよ？」

りんは、いらだたしげに、みんなをにらんだ。

「ねえ、誰かこの人のこと招待した？」

「ううん」

「知らん」

「私も……………」

美桜、結月、ヒナは、三人ともあわてて首を横に振った。気まずい雰囲気がただよう。

そのときチャイムが鳴った。

ようやく四人の緊張はとけ、それぞれの席へむかう。

「きっとあれだよ、アプリのバグ！」

「そ、そうだよね！」

ヒナも「だね」と小さな声で話を合わせ、自分の席に戻った。

（気持ち悪いな…………。誰なんだろう…………）

既読数がおかしかったり、知らない人がグループに入ってきたり。

バグにしても、気味が悪すぎる。

窓のほうへ顔をむけると、いつの間にか空は曇り、ぽつぽつと雨が降りだしていた。

(うわー、雨じゃん。傘持ってないよ。早くやまないかな)

仲良しグループは気まずい雰囲気になるし、雨は降るし、さんざんだ。

ヒナは大きく息をはくと、気をとりなおして、昨日見つけたおもしろい動画のことを考えた。

(あの動画、あとでりんたちにも教えてあげよう。ウケるといいんだけど……………)

こういうときにみんなをもりあげられたら、ヒナの存在感もアップするはずだ。


六時間目は音楽の授業だった。

音楽室をでようとしたヒナを、先生が呼びとめる。

「田中さん、ごめん。この楽譜を準備室に持っていってくれないかしら」

「え〜〜」

(まじか。りんたちといっしょに戻ろうと思ったのに……………)

片づけなんてしていたら、またヒナだけ後れをとってしまう。

「お願いね」

先生に念を押されて、しぶしぶ返事をする。

「…………はーい」

（も〜〜〜。なんで私なのよっ）

ぶつぶつ文句を言いながら片づけをすませると、急いで教室にむかう。早くしないと、みんなはヒナをおいて帰ってしまうかもしれない。

「りーん。爆笑動画、新しいの見つけたよ」

スマートフォンを片手に、教室に飛びこんでいったが、先に戻ったはずのりんが、席にいない。

「あれ？　りんは？」

美桜と結月も、りんのことをさがしているようだ。

「それがさ、いないんだよね。いっしょに戻ってきたのに」

「どこ行ったんだ、あいつ。トイレかな」

「もう帰っちゃったとか？」

と、窓の外に顔をむけたヒナは、奇妙なものを見つけ、目を細めた。

「ん？　ケヤキの木の下に……誰かいるみたいだけど……」

外は雨が降っているというのに、ケヤキの根本に、女子生徒が座っているのだ。

美桜と結月も、校庭を見やる。

「もう～ヒナったら～、なに寝ぼけたこと――」

そう言いかけた結月が、小さく叫んだ。

「わ!?」

ケヤキにもたれかかるようにして座っているのは、りんだったのだ。

ちがう、座っているのではない。

頭からべっとりと血を流して、死んでいる。

りんのそばには、血のついた石が落ちていた。あの石が頭にあたったのだ。

「キャアアア！」

美桜と結月が叫ぶと、教室のあちこちから「どうした？」「なに!?」という声や、叫び声があがった。

わ…!?
キャアアアア
ザワ
ザワ

やがて、クラスのみんながりんのむごたらしい姿を目にして、教室全体が騒然となる。

（うそ……でしょ……）

ヒナは、スマートフォンをにぎりしめたまま、ぼうぜんとその場に立ちつくした。

事件のあと、学校にいた生徒たちは全員、ただちに下校することになった。

あとから聞いたところによると、すぐにたくさんの警察官がやってきて、現場検証をしたそうだ。

学校じゅうにうわさ話が飛びかった。

「りんの死因、聞いた？」

「聞いた、聞いた。頭に石があたったんでしょ？」

「事故なのか殺人なのか、わからないんだって」

「こわいよね……」

りんの葬儀は、数日後に行われることになった。

夕方、スマートフォンを手にソファに座ったヒナは、メッセージアプリを開いた。
四人で毎日つながっていた〈なかよち♡グループ〉も、あれ以来、なんだかさびしい。

ヒナ　〈明日　りんのお葬式だね〉　18：01

すぐに既読がつき、返信が来た。

結月　〈知ってる〉　18：02
美桜　〈行きたくない〉　18：02

ヒナも気がのらないけれど、りんには、ちゃんとさよならを言いたかった。

ヒナ　〈悲しいけど　でも　お別れしよう〉　18：02

そう送ったメッセージの既読数は「3」だ。りんのアカウントはまだ残っていて、だから〈なかよち♡グループ〉のメンバー数はいまだに「4」のままだった。

（死んだりんが既読をつけられるはずがないから、既読数が3なのはおかしい。まだバグが直ってないのかな？）

ヒナはまゆ根を寄せ、トークルームの画面を見つめた。

葬儀は、親族やクラスメイトが涙にくれるなか、しめやかに行われた。

式が終わり外にでると、美桜が深刻な表情を浮かべて、ヒナと結月を呼ぶ。

「あのさ、ちょっと来て」

ふたりは顔を見あわせた。なんだろう、と思いながらも、美桜についていく。

斎場の裏にある、別棟の建物の壁のあたりまで行くと、美桜が震える声で言った。

「りん、殺されたんだよね……？」

結月とヒナはおどろいて、一瞬、言葉を失った。

学校の先生は「あのようなことになった原因は不明」と言っていたのに、なぜ殺されたなんてきめつけるのだろう？

なにか知っているのだろうか？

結月はショックを受けたようだ。まゆをつりあげて叫んだ。

「殺された？　そんなわけないよ！」

「だって、あの画像どおりじゃん。変なアイコンの人が送ってきた画像と、同じだったじゃん」

そう言って、美桜は、疑いのまなざしを結月にむけた。

「結月、本当になにも知らないの？」

「は………？」

「なにかかくしてるでしょ？　だって――」

美桜がおびえたような目をして、結月を指さした。

「あんたさ、『いつもりんに好きな人をとられて、ムカツク』って、言ってたじゃん。りんに恨みがあるよね？」

「あ………」

結月は言葉をさがすように口をぱくぱくと動かすと、思いきりどなった。

「私が殺したって言いたいの!?」

そして、美桜の胸もとをぐいっとつかむ。

「美桜こそ、いつもりんに『知能が低い』って見くだされてただろ!? 恨みがあるのはあんたのほうじゃん!!」

「はあ!?」

(え………え………そうだったの?)

いままで、ヒナ以外の三人は仲がよくて結束していると思っていた。

でも本当は、結月も美桜も、りんのことを煙たがっていたのだ。

(そんなこと、知らなかったよ)

結月と美桜が、獣のようににらみあう。

「美桜って、心の底ではりんのこと憎んでただろ!?」

「それは結月のほうじゃない!!」

とうとうふたりは、腕や服をつかんで、もみあいはじめた。

「ちょ……やめなよ、ふたりとも！」

あわてて間に入ったヒナを、美桜がギッとにらみつけた。

「あんただってあやしいよ！　りんのこと嫌いだったんでしょ⁉」

ふだんは清楚で大人っぽい美桜が、口もとをゆがめてそう言いはなった。

「え……」

「『いつも笑いとってきて、必死すぎてイタい』って、りんがしょっちゅう言ってたよ？見くだされてんの、とっくに気づいてたでしょうが！」

声を荒らげた美桜が、ハァハァと肩で息をした。

結月は、怒りに頬をひくつかせている。

つい一時間前まで、美桜と結月は仲のいい親友だった。

そのふたりが、みにくくののしりあっていて、ヒナはあぜんとした。

（この間、おもしろメガネをかけて、ふざけたり、笑ったりしたばかりなのに）

『もう勘弁して、ヒナ〜〜』

『あははは！　ちょっとなにそれ、ウケる～！』

『本当、おもしろいんだから』

そう言って笑う三人の声が、いまでもヒナの耳の奥に残っている。

りんはおなかを抱え、涙を流してケラケラ笑っていた。美桜はいつになく大きな口を開けて笑った。結月はスマートフォンのカメラをむけながら笑った。

（……笑った？）

ヒナは唐突に気づいてしまった。

（そっか。あれは私のこと半分バカにしてたんだ。私、笑われてたんだ）

ヒナだって、うすうす感づいてはいたのだ。

（知ってた。見くだされてたの、気づいてた。四人のなかで、私だけ浮いてたってことも）

ヒナのことをバカにしていたのは、りんだけじゃない。

（ちがうよね？　見くだしてたのは三人とも、でしょ？）

と、そのときだった。

三人のスマートフォンのバイブレーションが、同時にヴヴッと鳴った。

三人はビクッと身をすくめ、いっせいにスマートフォンをとりだす。

画面に表示されているのは、〈なかよち♡グループ〉の着信通知だ。

送った人物がここにいる三人ではないことはあきらかだった。

「……もう、なんなの⁉　一体誰が送ってくるのよ！」

美桜は涙を浮かべてわめいた。

「私、絶対開かないからね！」

「うるさいな！　もう、あんただまれ！」

結月がどなりつけ、美桜の肩をどんとついた。

その拍子に、美桜はうっかり指で画面にふれ、アプリを開いてしまった。

画面に表示されたのは、一枚の写真。

女子生徒がひとり、レンガの下敷きになり、血まみれになっている現場だ。

倒れている生徒は——美桜だった。

「……や、やだっ……なにこれ……」

???
9:28
や
やだっ
あやまるから許(ゆる)してよっ…
ちょ
ねぇ…
何(なに)これ

スマートフォンを持つ美桜の手が、ガタガタと震えだす。

「なにこれ！　なにこれ！」

死体となった自分の姿を見た美桜は、バッと顔をあげると、結月にむかって手をのばす。

「あやまるから許してよっ……………ねぇ…………」

「ちょ、なんで私に言うのよ！」

すがりつく美桜を、結月が払いのける。

「だって結月が私のこと殺すんでしょ…………ねぇ…………」

「私、関係ないし。来ないで！」

結月があとずさって逃げ、美桜が手をのばして追いかけていく。

その美桜の上に――――。

ゴシャッ、ゴシャッ!!

建物の屋根から落ちてきたレンガが、次々と直撃した。

「ムギャッ」

美桜が悲鳴をあげて倒れ、血しぶきが、ヒナと結月の顔に飛んだ。

ふたりは腰が抜けてしまった。声もだせずに、ふらふらとその場にへたりこむ。

そこへちょうど、喪服の参列者がとおりかかり、大声で叫ぶ。

「誰か！　人が倒れてます！　救急車呼んで！」

あまりの恐怖で、ヒナは腰が立たなくなっていた。心臓がバクバクと早鐘を打ち、息がとまりそうだ。

はっと気づいて横をむくと、結月が血の気のひいた顔で、こちらを見つめている。

(もしかして私を疑ってる………⁉)

「な、なに？　なんで見るの？」

「ヒナ、あんたがなにか細工をしたんじゃ――」

「ち、ちがうよ。私はなにも……」

「うそ。あんた、ネットで変な画像とか見つけてくるの、得意じゃん！」

「え？」

「この間のりんの写真も、この美桜の写真も、ヒナが送ってきたんでしょ！」

「………なんで私が⁉」

「あんただよ、あんたがやったんだ………」

結月は、ヒナを犯人だときめつけている。動揺して、まともな判断ができなくなってしまったのだ。

ヒナはよろけるように立ちあがり、逃げだした。

「ヒナ!!」

結月が叫ぶが、無視して走る。

いまの結月になにを言っても、きっと耳を貸してくれないだろう。危害を加えられる前に逃げたほうがいい。

(私はなにもしてない！　私じゃない！)

走りながら、心のなかでそう叫んだ。

(結月こそ、画像を送ってる張本人なんじゃないの!?)

でも、もし結月でもないとしたら。

だとしたら、一体誰がこんなひどいことをしているのだろう？

(誰なの………)

あの真っ黒いアイコン。

表示されているニックネームは〈？？？〉。

(既読をつけてるのは、一体、誰⁉)

やっと家にたどりついたヒナは、急いで玄関のドアを開け、なかに入った。

バタン、と力まかせにドアを閉め、震える手で鍵をかける。

そのままリビングルームにかけこむと、疲れきって床にひざをついた。

「ハァハァ……………」

走りつづけたせいで汗だくだ。

がっくりと両手を床につき、乱れた息を整えていると、胸ポケットに入れていたスマートフォンが振動する。

ヴヴッ。

おどろいて、ビクッと体が震える。

おそるおそるスマートフォンをとりだし、画面を見ようとした。

するとそのとき、ドンドンドン、と窓をたたく音。

「ヒナ！　開けろ！」

結月だった。

リビングルームの窓の外に、結月が立っている。

追いかけてきて、庭にまわったのだろう。鬼のような形相で、窓ガラスをたたいていた。

結月のひたいや頬には、美桜から飛びちった血がついている。そのせいで、本当に殺人鬼のように見えた。

「ヒナ！　あんたが犯人なんでしょ！　この人殺しっ！」

結月が激しくガラスをたたいた。

「なんでこんなことすんだよ！　聞こえてるんでしょ、ヒナッ！」

「ち、ちがう………」

ヒナは涙ぐんだ。床の上で、身を守るように体をまるめる。

(私がこんなおそろしいこと、するはずない。だって、私はずっと――)

ヒナの頭のなかに、四人ですごした楽しかった時間がよみがえった。

オシャレで、新しいものに敏感で、いつも楽しいことをさがしていた、りんと美桜、結月。
私なんて、三人にはつりあわないと思ってばかりだったけれど、でも。
(私、みんなと対等な友だちになりたかったんだよ?)
「返事しろ、ヒナッ!!」
外にいる結月が、ひときわ強くガラスをたたく。
すると。
ピシ、ピキッ――――ガシャン!!
大きな音が耳をつんざく。
ヒナはおどろいて顔をあげた。
見ると、窓ガラスが粉々にくだけちり、窓枠のそばに結月が倒れている。
結月の顔は、血まみれになっていた。
無数のガラス片がつきささっている。
目も鼻もわからなくなるほど激しくくずれ、息もしていないようだ。
「あ…………」

ドサッ
あ…
ぺた

その光景を見たヒナは、ドサッとしりもちをついた。

手を床につくと、なにか冷たいものにふれた。

スマートフォンだ。

おそるおそる画面を見る。

あの真っ黒いアイコンの人物から、写真が送られてきている。

「結月……………」

写真に写っているのは、顔面に無数のガラス片がつきささった、結月の死体。

いま、ヒナの目の前に広がっている光景そのものだった。

「誰がこんなことしてるのっ！」

ヒナが叫んだ。しかし、もちろん返事はない。

「もう消えてっ！」

ヒナはスマートフォンを拾いあげると、床にたたきつけた。何度も何度も。

やがて画面にひびが入り、パリパリとわれる。

その直後、部屋のかたすみがパッと明るくなった。

テーブルの上においてあったパソコンが、突然起動したのだった。画面の明かりがつき、「読みこみ中」という文字が表示される。

「な、なに……………」

ふらふらと立ちあがり、パソコンに近づいていく。

すぐに、SNSの画面が表示された。いつもスマートフォンで見ているグループトークルームだった。

ヒナがなにも操作をしていないのに、勝手に〈なかよち♡グループ〉のトークルームが表示されたのだ。

「誰？　誰なの⁉」

画像が送られてきた。送り主は、あの真っ黒いアイコンの〈？？？〉。

目をこらしてよく見ると、その画像は、「ミシッター」というSNSのスクリーンショットだった。

ヒナは、そのスクリーンショットの内容に見覚えがあった。

「これって………」

ヒナはごくりとつばをのみこんだ。

「私のミシッターの裏アカ…………？」

ヒナは、〈グチ多めのアカウント〉というアカウント名でミシッターを使っていた。

誰にも見られないように非公開にして、ひとりで言いたいことだけをつぶやいているアカウントだ。

私のこと　どうせ見くだしてんだろうな
わかってるって　でも空気読むしかないじゃん
グループ入れてもらったはいいけど　ストレスがやばい
ウケるネタさがすの　めんどーすぎる

イライラすることがあると、いつもこんなふうにグチをつぶやきまくっていた。

それにしても、鍵をかけていた非公開アカウントなのに、なぜ〈？？？〉が内容を知っているのだろう？

スクリーンショットには、こんなグチも書いてあった。

　ハテナさんが来て　ぶち壊してくれないかな

ヒナは、小さな声で言った。

「ハテナさん？」

つぶやいた瞬間、忘れていた記憶が、一気に戻ってきた。


あれは半月ほど前の、ある夜のことだ。

『あーっ、やっと会話終わった。まじ疲れたー』

〈なかよち♡グループ〉での会話を終えたヒナは、座ったままのびをした。

その日もいつものように、空気を読みまくった。

既読をつけたらすぐ返信するようにしたり、他の三人が書く悪口に同調したり、おもしろいと思ってもらえそうなネタを書いたり。

そうしているうちに、ヒナはすっかり疲れてしまったのだった。

頭がぼうっとする。

『ミシッター、ミシッター……』

気分転換にミシッターを見る。しばらくして、おもしろいネタを発見してしまった。

『ん？』

【こわい話】ハテナさん

というつぶやきだ。

『なになに？〈クラスのメッセージアプリグループで既読無視されつづけ、自殺してしまった女の子の霊〉。ふーん。それが〈ハテナさん〉なんだ』

ヒナは興味津々で読みすすめた。

『〈ハテナさん〉からのメッセージに既読をつけたら最後、そのグループは壊れてしまうという――――。なにそれ、あやしすぎてウケる！　ぷぷ』

初めは笑っていたヒナだったが、ふと考えた。

(でもし、その〈ハテナさん〉が本当にいたとしたら………)

面倒な〈なかよち♡グループ〉を壊してくれる。

グループがなくなれば、もう三人に気をつかって、心をすりへらさなくてもよくなる。

『なるほどー。来ればいいのになー、〈ハテナさん〉』

ヒナは、ふふっと微笑んだ。


「———まさか」

ヒナは、窓ガラスのわれたリビングルームで立ちすくんだ。

「私が……呼んだ……………?」

真っ黒いアイコンを使う、〈???〉というニックネームのアカウント。

それはまさしく〈ハテナさん〉にちがいなかった。

ヒナが願ったせいで、本当に〈ハテナさん〉がグループに入ってしまったのだ。

既読数がいつもひとつ多かったのは、〈ハテナさん〉が読んでいたから………。

「うそ……うそでしょ」

ヒナのひたいを、冷たい汗が流れおちた。

「だってこんなの、よくある『こわい話』じゃん」

〈ハテナさん〉が本当にグループを壊す力を持っているのだとしたら、すぐにでもでていってもらわないと困る。

なぜなら、ヒナたちのグループは、ヒナがいるかぎり、完全には壊れないから。

つまり、次にねらわれるのは、ヒナ。

「そんなのやだ！」

そのとき、ヒナはあることを思いだした。

「待って、たしか……あの文の最後のほうに……」

あわててパソコンにかけよる。

ミシッターで見たつぶやきには、こう書いてあったのだ。

　ハテナさんにでていってもらう方法

スルーしないで返信すること

「返信すること!!」
ヒナはそう叫んで、キーボードで文字を打とうとした——が、遅かった。
シュポ、という新着メッセージの音がして、パソコンの画面に写真が表示される。
真っ黒いアイコンの〈ハテナさん〉が送った写真だ。
そこには、床に倒れているヒナの姿が写っていた。
背中にはぐさりと包丁がつきささり、傷口から大量の血が流れている。
写真のなかのヒナは、どう見ても死んでいた。
「え………?」
するとそのとき、背後から人の足音が聞こえてきた。ローファーをはいた靴音だ。
コト、コト、コト、コト。
誰かが、ゆっくりとヒナに近づいてきている。
血のにおいが、だんだんと強くなる。

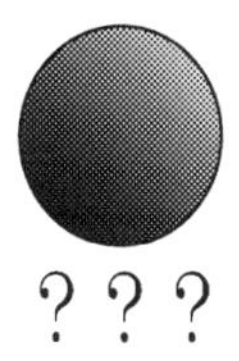
？？？

10:

振りかえって確かめなくても、ヒナにはわかった。
近づいてきているのは、包丁を持った〈ハテナさん〉だ。
もう逃げることもできないと気づいたとたん、なぜか笑いがこみあげてきた。
「は…………ははは…………」
(そっか、バカだなぁ。私が呼んだんだよ。ははは…………)
次の瞬間、ヒナの目の前は、あのアイコンのように真っ暗になった。

エピローグ

百三十六時間目の授業は、これで終わりです。
四人でつくったグループに現れた、見知らぬ五人目。
その人の登場で、仲良しグループはバラバラになってしまいました。
しかも、最悪の形で。
ひとり消え。
またひとり消え。
とうとう最後のひとりも消えました。
これでグループは完全に消滅です。
五人目は、ちまたでうわさの〈ハテナさん〉。
少女の願いをかなえてくれたというわけです。

もしかしたら〈ハテナさん〉は、少女に求められてうれしかったのかもしれませんね。
少女と友だちになりたかったのかも。
いまごろ、あの世で仲良くしているかもしれませんよ。
みなさんも気をつけてくださいね。
グループの人数よりも多い既読がついたら、それはきっと〈ハテナさん〉です。
メッセージアプリの使いすぎにはご注意を。

137時間目

首吊りワールド

プロローグ

窓の外ばかり見ている、そこのあなた。もうチャイムは鳴りましたよ。
さて、恐怖の授業をはじめましょう。
突然ですが、みなさんは、罪を犯したことがありますか？
「はい」とこたえた人、正直ですね。
「いいえ」とこたえた人。
本当に、一度もないですか？
たとえば、誰かの悪口を言ったり。
友だちから借りたペンを、わざとかえさなかったり。
ゲームをしてはいけない時間に、こっそりゲームで遊んだことは？
それなのに「ゲームしてないよ」とうそをついたことは？

ほんの小さな罪から、許されない大きな罪まで。
いろいろな罪がありますが、どんな罪にも罰は必要です。
身に覚えのあるみなさんに質問です。
あなたには、罰を受ける覚悟がありますか？

椎野未良が登校すると、一年A組の教室では、いつもの光景がくりひろげられていた。
クラスメイトの由乃が、自分の席についていて、じっとうつむいている。
机の上に書かれているのは、たくさんの落書き。
「学校に来るなよ」「ブス女」「ブサイクは転生してこい」――。
由乃は、一点を見つめたまま顔をこわばらせている。
それを、数人の女子がうしろから見つめ、くすくす笑っていた。
高校に入ってから二か月と少し。もう見慣れた光景だ。
未良は、いじめの主犯格の女子たちを横目で見て、心のなかでつぶやく。
(またやってるのか………)
でも、表情にはださない。

学校にくるなよ
ブス女
ブサイクは転生してこい
しね〜
くす
くす
ヒソ
ほんと佐々木(ささき)達(たち)ひどいよね

未良は、口数の少ないクールな女の子だ。

えり足のすっきりしたショートカットで、制服は着くずさず、校則は守るタイプ。

あまり笑うこともなく、友だちとふざけてはしゃぐこともなかった。

未良が教室の一番うしろにある自分の席にむかうと、アヤカの声がした。

「おはよ〜、未良」

「おはよ………」

振りむいてあいさつをかえす。

アヤカは、由乃をいじめている女子たちを見て、こそっと言った。

「ほんと、佐々木たちひどいよね」

由乃をいじめているグループの中心は、佐々木もも子。

「ほんとほんと」

と、アヤカのまわりで、エマたちが小声で話しはじめた。

「佐々木が由乃を嫌ってるのって、佐々木の元彼とつきあったからなんだって」

「え、なにそれ。元彼なら、別にいいじゃん」

「そうなんだけどー、でも由乃って、ちょっと男子ウケねらってるとこ、あるじゃん」

男子の前だと、いつもより高い声になり、上目づかいでしゃべる由乃。

その姿を思いだした女子たちが、「あ〜〜」「わかる」とうなずきあった。

「あとさ、先生の前でもいい子ぶるよね」

「それ、私もちょっと思ってた」

未良だけは会話に入らず、ただだまっていた。

ちょうどそのとき、担任の森先生が、教室に入ってきた。

「こら〜、ホームルームはじまるぞ」

森先生は、こじゃれた丸メガネをかけ、いつも一風変わった柄のスーツを着ている若い男性教師だった。話しやすいせいか、女子には人気がある。

もも子たちは、悪びれることなくあいさつをする。

「森せんせー、おはようございまーす」

「なんだ、おまえたち。まだそんなくだらんことしてるのか〜。もう高校生なんだぞ？」

「ウチら、別になにもしてないってば〜」

「じゃあ、席につけ〜」

もも子たちはキャハハと笑い、席に戻った。

由乃はまだうつむいて、机に書かれたひどい悪口を見つめている。

そんな由乃に、アヤカたちは、特に声をかけるわけでもなく、それぞれ自分の席へとちっていく。

未良は、椅子に腰をかけながら思った。

(森先生、いじめの現場を見たのに、ほとんどスルーだ)

いつもそうだ。森先生だけではなく、どの先生もみんな、見て見ぬふりをする。

(まあ、私には関係ないけど)

未良はぼんやりとそう思いながら、机に頬づえをついた。


部活をしていない未良は、放課後になるといつもすぐに下校する。

未良は、あまり友だちとつるまず、ひとりで行動することが多かった。

「おーい、未良ー」

「いっしょに帰ろー」

校舎をでたあたりで、アヤカとエマが追いかけてきた。

立ちどまって待っている未良に、アヤカが言う。

「未良ってさ、ほんっと、一匹オオカミって感じだよね！」

「別に、そういうつもりはないけど」

「中学のときからそうだったの？」

「……どうだろ」

そう返事をして、遠くを見やった。

体育館のそばに、不穏な様子の女子生徒三人組がいる。

(佐々木たちと……由乃じゃん)

もも子たちが、由乃の両側から腕をからめて、むりやりどこかへつれていこうとしているのだ。

アヤカとエマも、三人に気づいたようだ。「あ、またやってる」とため息をついた。

「はぁーっ。高校に入ったら、あーゆーのもうないと思ってたのに」

「だよね。未良もうんざりしない？」

ふたりにたずねられ、未良は、気のない顔をしてこたえた。

「別に。いじめなんて、どこの学校にもあるよ」

「え！　大人。なんか悟ってる!?」

「未良って、やっぱちょっと他とちがうわ〜」

感心しているアヤカとエマから、サッと視線をそらす。

すると、いままさに体育館の裏につれていかれようとしている由乃と、目が合ってしまった。

由乃は涙を浮かべ、口をパクパクと動かす。

た・す・け・て。

声をださずに、そう言っている。未良にむかって、助けを求めているのだ。

しかし、未良は顔をそむけて歩きだした。

（だって、人間なんてそんなもんでしょ）

いじめなんて、どの学校にもある。

（そんなものだよ…………）

未良は立ちどまり、気をとりなおしてアヤカたちに言った。

「私、自転車だから。また明日ね」

「また明日ね、未良〜」

手を振るアヤカたちに、未良は少しだけ微笑む。

（ふたりとも元気だな…………）

きびすをかえして、校舎裏の自転車おき場にむかった。

すると、自転車おき場の奥の一角に、人影がある。

（ん？　森先生？）

未良に背中をむけているせいで顔は見えないが、あの変わった柄のスーツは、森先生にちがいない。

森先生は背中をまるめ、うつむくような姿勢で、じっと立っていた。

ここは生徒用の自転車おき場で、職員用は別の場所にある。それに、森先生はたしか車で通勤しているはずだった。

（こんなところで、なにしてるんだろ？）

未良は自分の自転車を押して、森先生の近くをとおりすぎようとした。

「さようなら」

あいさつをするが、やはり先生は背中をむけたまま、返事もしない。

（変なの）

そう思った次の瞬間、未良はぎょっとして息をのんだ。

森先生の体が、地面から浮いているのだ。

「――――え？」

見まちがいかと思って目をこらすが、革靴をはいた先生のつま先は、地面から十センチほど浮いていた。

その足が、ゆらり、ゆらりと、ゆっくりとゆれている。だらりとたれた腕もゆれていた。

先生の体は、空中にぶらさがっているのだった。

まるで、見えないなにかでつられているように――――。

「…………なんで？」

おどろいてかたまっている未良の前で、森先生の体はドサッと地面にくずおれた。

その音に気づいた他の生徒たちが、いっせいに振りかえる。

「なんの音？」

「え？　誰か倒れてるじゃん」

「森先生だ！」

森先生は、うつぶせの姿勢のまま、ぴくりとも動かない。

何人かの生徒が、自転車をその場に停めて走ってきた。

「まじ？」

「やばくね⁉」

「先生呼んできて！　誰でもいいから！」

しかし、森先生は、二度と目を開けることはなかった。

すぐに救急車が来て病院に運ばれたが、心臓はすでにとまっていたそうだ。

未良のクラスはみんな、担任の先生の葬儀に参列することになった。

「森先生、首にロープの跡がついてたらしいよ」

「え、自殺⁉」

「もしかして、三年の女子に手だしたってうわさ、本当だったのかな」

葬儀場では、そんなうわさがあちこちで飛びかっていた。

森先生は、女子生徒には人気があったが、もともと悪いうわさもたくさんあったのだ。

「その話、知ってる！　有名だよね？」

「うわー、生徒に手をだすとか、最悪じゃん」

未良は、クラスメイトの話にだまって耳をかたむけていた。わざわざ話の輪に入ることはしない。

「他の先生が話してたの聞いちゃったんだけど、最近、職員室でもふつうじゃなかったらしいよ。ふさぎこんでたっぽい」

「居場所がなかったんじゃねーの？」

学校じゅうのみんなは「森先生は自殺した」と言っている。

でも、未良にはそうは思えなかった。

(自殺、なのかな。なんかちがう気がする…………)

首にロープの跡があったそうだが、先生が自転車おき場にいたとき、首にはロープなんて巻きついていなかった。

(でも、体は空中に浮いているように見えた。あれはなんだったんだろう?)

きっと見まちがいだ。人間が浮くはずがない。

そう思いながら、未良は、葬儀場のろうかを歩いていた。

いっしょに来たアヤカとエマは、こんなときでも無邪気だ。

「私、お焼香のやり方、わかんないんだけど」

「ママに聞いてきたよ、こうやるんだって」

と、つまんだ形にした指をひたいの前に持っていく。お焼香をする仕草だ。

「未良はやり方知ってた?」

「…………うん」

うつむいたままぼそっと返事をした未良は、ふいになにかを感じ、顔をあげた。

（え？）
目の前に奇妙なものがある。
首つり用のロープだ。
（なにこれ………）
ロープは、未良の顔の数十センチほど先にたれさがっていた。
まるで未良の行く手をはばんでいるかのようだ。
輪にされた部分は、首に巻きつくのにぴったりの大きさをしていた。
（さっきまで、こんなロープなかったのに。なんで？）
未良はこわばった顔で、上を見あげた。
輪につながる一本のロープは、どこからともなく落ちてきている。
見あげてみても、フックになるようなものはなにもない。
それなのに、ロープは上からたれているのだ。
（は？　意味わかんない）
未良は、あたりをきょろきょろと見まわした。

親族一同
何(なに)これ…
は？

こんなにおかしなものが目の前にあるのに、まわりにいる人々は平然としている。

(もしかして、みんなには見えてない⁉)

混乱した未良は、思わず大きな声で友だちを呼んだ。

「アヤカ！　エマ！」

ふたりは不思議そうな顔をして振りかえった。

「どしたの？　早くお焼香しに行こうよ」

「ね、ねえ、これ見てよ！」

未良がロープを指さしてうったえた。

しかしアヤカたちは、きょとんとしている。

「どしたの、未良？」

「見てって、なにを？」

「ロープだよ！」

「あははは！　未良が冗談言うとか、めずらしいね」

アヤカたちは適当に話を流し、ふたたび前をむいて歩きだす。

ロープを指していた未良の手が、プルプルと震えた。

(みんな、見えないの?)

気味が悪くなった未良は、あわててその場をはなれ、アヤカたちのあとを追った。

おそるおそる振りかえる。

するとやはり、未良を見送るように、ロープが空中にたれていた。

(なんなの、あのロープ!!)


その日から、未良の視界には、たびたびロープが現れるようになった。

授業中、ふと顔をあげると、教室の真ん中にロープがたれている。

クラスのみんなは、ふだんどおりに教科書を見たり黒板を写したりしていた。その様子からして、未良以外にはロープが見えていないようだ。

(なんなの、これ?)

通学中に振りかえると、空中に浮いたロープがあとをつけてきている。

(どうして? なんで私にだけ見えるの?)

家に帰り、部屋の窓から外を見ると、電柱のすぐ横にロープがある。

ロープをたどって上を見あげてみても、高すぎてどこからたれているのかさっぱりわからない。

（なんで？）

ロープが現れる回数は、日に日に増えていき――。


数日後。

空は晴れ、気持ちのいい朝だ。

しかし未良は眉間にしわを寄せ、家のなかにもかかわらず、しきりにあたりを警戒する。

ダイニングルームでは、母親が朝食の準備をしていた。

「おはよう、未良！」

「おはよ……。」

うつろな返事をし、未良は静かにテーブルについた。

父親もやってきて、にこやかに微笑んで椅子に座る。

「高校生活はどうだ？　友だちできたか？」

「うん、まぁ………」

未良が上の空なのは、目の前に首つりロープがぶらさがっているからだ。

両親には見えていないようだが、未良の鼻先から少しはなれた空中にたれている。

（気持ち悪い）

未良はロープをにらんだ。

その輪のむこうに、両親の顔が見える。

（なんなの。このロープ）

そのとき、テレビから朝のニュース番組の音声が聞こえてきた。

「税金ドロボー」

「金かえせ！」

画面に映っているのは、ビル街にできた人だかり。「汚職議員　税金を不正使用か」というテロップがでている。

（これ、最近よくテレビでやってる政治家の汚職事件だ）

報道陣ややじ馬が、ビルのエントランスをとりかこんで、本人がでてくるのをいまかいまかと待っているのだった。

やがて、スーツ姿の男が、警察官に連行されてでてくる。警察官が人だかりをかきわけるが、報道陣はかまわず男の写真や動画を撮影しはじめた。

その映像を見ていた未良は、思わず椅子から立ちあがった。

スーツ姿の男の前に、輪になったロープがぶらさがっているのだ。

（私以外にもロープがたれてる人がいる！）

男はロープをよけるように歩いている。きっと見えているのだ。

しかし、やじ馬や警察官や報道陣は、誰もそこにあるものに気づいていない。

「道をあけてください！」

警察官は大声でそう言いながら、男を誘導している。

するとそのとき、おそろしいことが起きた。

空中に浮いているロープがするすると移動し、男の首にひっかかったのだ。

（え、なに………⁉）

男はロープから逃れようとするが、両腕を警察官につかまれていて動けない。

そうこうしている間に、ロープはすっかり男の首に巻きついた。

男は恐怖にゆがんだ顔で叫ぶ。

「や、やめろ………やめろ！」

警察官の手を振りきって、男は走りだした。

首にまわったロープをつかみ、それが締まらないように、必死に押さえている。

でも、なにも見えない人にとっては、男がただ苦しそうに首もとを押さえているようにしか映らなかった。

「わあああああ！」

叫び声をあげる男の体が、じょじょに上昇していく。ロープでつられてしまったのだ。

まわりにいる人だかりからも、悲鳴があがる。

「キャ―――‼」

「どうなってるんだ⁉」

テレビの画面ごしに見ていた未良も、あやうく大声をだすところだった。

(浮いてる………!?)

テレビに近づいて、画面を食い入るように見つめる。

心配した母親が声をかけた。

「大丈夫、未良?」

未良は返事をするのも忘れ、画面に釘づけになった。

(待って、これ………やばいんじゃない!?)

男をつったのと同じようなロープが、未良にも見えるのだ。見えるどころか、すぐ近くにぶらさがっている。

いまも未良の真うしろに、まるで未良の首をねらっているかのように。

(ま、まさか………私もいつか………つられる!?)

未良は、毎日おびえてすごすようになった。

ふとした瞬間に、視界にロープが飛びこんできて、そのたびに心臓が縮みあがる。

(なんで！　どうして！)

夜も眠れなくなった。夢のなかにまで、あの気味の悪い輪がでてくるからだ。

「――――っ!!」

うなされて飛びおきると、暗闇にぼんやりとロープが浮かんでいる。

「どうしてついてくるの!?」

もちろん、ロープはこたえない。ただ未良の前にぶらさがっているだけだ。

とうとう、外にでるのもこわくなってしまった。

家と学校を往復するのが精一杯で、とても他の場所には行く気になれない。

「未良、最近つきあい悪いじゃん」

「たまには寄り道しよーよ」

アヤカたちに誘われても、血走った目をむけ、そそくさと下校する。

建物のなかのほうが少しは安全に思えた。

(もしつられても、もがいたりカッターでロープを切ったりすれば脱出できるかも。だとしたら、建物のなかのほうが落ちてもダメージが少ないはず)

高い空までつれていかれたら、落ちたときに助からない。

通学する手段を自転車から電車に変え、カッターを持ちあるくようになった。

（なんで私にだけ見えるの!?）

外を歩くときは、スクールバッグを抱えるようにして背中をまるめ、早足で歩く。ロープにすきを見せないようにするためだ。

その日も、駅前のスクランブル交差点は人であふれていた。

そのなかを、未良はロープからかくれるようにしてこそこそすすむ。

（私も……私もあの政治家みたいにつられるの!?）

するとそのとき、駅ビルの大型ビジョンにニュースが映しだされた。

「いま入ってきたニュースです。集英刑務所に収容されている受刑者二十四名が、変死体で発見されました。いずれも首をつった跡があり――」

（首をつった跡!?）

あのロープの仕業なのだろうか。

雑踏のなかで立ちすくむ未良の耳に、近くにいたカップルの会話が聞こえてきた。

「見てこれ」

カップルはスマートフォンの画面を見ていた。

未良が横目でのぞくと、こう書いてある。

未解決事件の真犯人　見つかる
時効せまるなか　変死体で発見

カップルが話している。

「やば。最近こういう事件、多いよな」

「まあ、時効前に犯人がわかってよかったんじゃない？」

「天罰ってやつだよ」

ふたりが言うとおり、最近この手の事件を耳にするようになった。

犯罪者が変死体で発見されるという事件だ。

（天罰………）

強くにぎりしめていた手のひらが、じっとりと汗ばんだ。

と、そのときだった。

「お嬢ちゃん、そのロープが見えるのかい？」

「えっ⁉」

おどろいて振りかえる。

すぐ近くの歩道に、うす汚れた服の男が座っていた。

男はアスファルトの上にじかに座り、よれよれのウィンドブレーカーのフードを深くかぶっている。フードからのぞく顔は、無精ひげが生え、頬がこけていた。

男が、ねばついた声で問いかけた。

「ロープだよ。見えるんだろう？」

未良がだまっていると、男は言葉をつづけた。

「そりゃ、かわいそうに。そ、その日が近い証拠だね」

「…………その日？」

男は、フードの奥で光る目を細め、にやりと笑った。

「そうさ。その様子じゃ、あんたはもうすぐだ」

顔をひきつらせている未良に、指をさす。

「だがな、あんたも私も、反省してみれば、神さまが許してくれるかもな」

そして、「ははは っ!」と投げやりに笑った。

(神さま? 反省!?)

未良は男をにらみつけ、くるりと背をむけて歩きだした。

(なに、あのじじい! 自分のところにも、たれてるじゃん!)

未良には見えたのだった。

あの男の前にも、首つりロープがたれていた。

(でも、反省って、どういうことだろう………)

そこまで考え、ふと足をとめた。

ロープにつられた人——たとえば税金を使いこんだ政治家。あの人のロープは、未良にも見えた。

それから、二十四人の受刑者と未解決事件の犯人。ロープが原因だとは伝えられなかったが、首には跡があったそうだ。

ということは、死んだ人たちはみんな犯罪者。

（じゃあ、森先生は？）

未成年に手をだしたといううわさが本当なら、森先生も犯罪者だ。

「……………これ、罪を犯した人のところに来るの？」

でも。もしそうだとしても、腑に落ちない。

（待ってよ。なんで私⁉　私は犯罪者じゃない。どこにでもいるふつうの人間だよ‼）

顔をあげると、いまいましいロープは、まだ未良につきまとっている。

いらついた未良は、ロープにむかってどなった。

「たれるところ、まちがえてんじゃねーの⁉」

まわりを歩いている人たちが、いっせいに振りかえった。

当然だ。他の人にはロープが見えていない。

みんなの目に映った未良は、なにもない空中にむかって、突然どなり声をあげたおかしな少女だ。

「なにあの子、大丈夫？」

「急に叫ぶとか、コワッ」

「近づかないほうがいいよ」

人々の視線がつきささり、未良は動転した。

(このままじゃ私も………)

冷たい汗が背中を流れる。

そういえば、さっきの男はこんなことを言っていた。

『反省してみれば、神さまが許してくれるかもな』

「そっか」

未良は虚空を見つめてつぶやいた。

「どうすればいいのか、わかったよ」

そう言うと、肩にかけていたスクールバッグの持ち手を、両手でぎゅっとにぎりしめた。

その足で未良は、ある一軒家へむかった。

雑草がのび放題の庭。昼間なのに閉めきりの雨戸。

一見、空き家のようだけれど、人は住んでいた。「仁木田」と表札がでている。

未良がドアホンを鳴らすと、しばらくして、カチャリとドアが開いた。

「はい…………」

でてきたのは、げっそりとやつれた中年の女性だ。たばねた髪がばさばさとほつれ、目の下にはクマができている。

女性は、未良の顔を見るなり、うめくように言った。

「あんた…………よくここに来られたね」

未良はくちびるを真一文字にひきむすんで、体をこわばらせた。

女性が冷たく言いすてる。

「娘を…………私の杏奈を殺した張本人が！」

未良の頭のなかが、真っ白になる。

「こ、殺した…………わけじゃない…………」

中学生のころ、同じクラスだった仁木田杏奈。

杏奈がなにをするのもトロいから、ちょっとからかっただけだ。

杏奈を見ているとイラついたから、みんなでハブにしただけ。

机に「バカ」やら「ブス」やら落書きをして。

給食のカレーをよそった皿に、杏奈の顔を押しつけて。

ノートや教科書をビリビリにやぶいて。

上履きに画びょうを入れて。

そうやってふざけていたら、ある日、杏奈は首をつって死んでしまった。

「すみませんでしたっ……………!!」

未良はいきおいよく頭をさげた。腰が直角になるほど深く、丁寧に。

「あのときは私も、クラスのみんなもふざけてて………」

(死にたくない。反省すれば、神さまが許してくれるはず!)

未良の頭は、許されることでいっぱいだった。あのしつこいロープにつられるわけにはいかない。こんなくだらないことで死にたくなかった。

「っ……まさか、じ、自殺するなんて、思ってなくて」

言い訳すればするほどあせり、ひたいに冷や汗が浮かぶ。

(絶対死にたくない!!)

「でも私っ、高校生になって生まれ変わったんです!!」

未良は頭をあげた。

胸に手をあて、杏奈の母親にとりいるように微笑んでみせる。

「ほら、見てください！　中学生のときとは別人だと思いませんか!?」

あせるあまり、どんどん早口になっていく。

「人の悪口も言わないし、学校でも勉強をがんばってるし……」

「杏奈はもう勉強をすることもできない」

「む、娘さんのこと、ずっと心に刻んで、罪を背負っていく覚悟で――」

「帰って」

杏奈の母親は、未良の言葉をぴしゃりとさえぎった。

「罪人の言葉なんて聞きたくない」

「え…………」

微笑みを浮かべた未良の前で、ドアがバタンと閉まった。

「うそ、うそ、待って」

手をのばしてかけよるが、閉められたドアが開くことはなかった。

かわりに、あのロープが、どこからともなくするすると降りてくる。

「え、まじで？」

ロープが降りてきたということは――――。

「これ、ダメ判定なんじゃね？」

ぼうぜんとする未良をあざ笑うかのように、首つりロープは、未良の顔の真ん前で静かにとまった。

まるで死刑宣告のようだ。

「わざわざあやまりに来てやったのに…………なんでよ。なんで私だけ…………？」

未良はとりみだし、ロープをにらみつけた。

「いじめなんて、みんなやってるじゃん！　世界中で起きてるじゃん！」

いじめなんて皆やってるじゃん
世界中でおきてるじゃん
人間なんて皆そうだろっ

佐々木もも子だって、由乃のことをいじめている。

アヤカたちは、見て見ぬふりをして、由乃を助けない。

未良といっしょになって杏奈をいじめていたクラスメイトも同じだ。杏奈の悪口を言いながら、未良よりもよっぽど楽しそうにしていた。

「人間なんてみんなそうだろっ！」

大声をだしすぎて、未良はゲホゲホと咳きこんだ。ハァッ、ハァッと呼吸が乱れる。

ロープは顔の前でとまったまま動こうとしない。

未良を値踏みしているようにも思えた。

「…………助けてよ」

死にたくない。

そう思うと、涙がぽろぽろ流れてきた。

まだ十五年しか生きていないのに、こんなところで死にたくない。

「助けて……なんでもする……いい子になるから……」

未良は泣きながらその場にひざまずき、両手を組んだ。

ぎゅっと目を閉じ、一生懸命に祈る。

「お願い、神さま…………!!」

すると、あたりの空気がサアッと動き、未良の髪がゆれた。

おそるおそるまぶたを開くと、さっきまで目の前にあったロープが、ない。

「消えた………？」

組んでいた両手をはずして、思わずつぶやく。

「うそ……私、許されたの？」

まだ手がカタカタと震えている。

「反省したから？」

きっとそうだ。

わざわざ死んだ杏奈の家まで来てあやまったのだ。

杏奈の親にののしられることを覚悟し、勇気をだして足を運んだ。

そのうえ、高校生になってからは、おとなしくすごしている。

いじめには加わっていない。いじめの現場を見かけても、関わらないようにしている。

未良は生まれ変わったのだ。

「許されたんだ………。よか――」

そう言いかけた未良の首もとで、ギチ、ときしむ音がした。

「えっ……あっ……!?」

あわてて首のまわりをさわると、消えたはずのロープが巻きついている。

ギギギ……ギチ、ギチ。

気味の悪い音をたてて、ロープは締まりはじめた。

「……い、いやっ！　やだっ!!」

叫ぶ未良の体が、じょじょに上へひっぱられていく。

ポケットからカッターをとりだす間もなく、未良の首は絞まっていく。

「ぐ、くっ、苦しいっ!!」

やがて地面から足がはなれ、体が完全に浮きあがった。

駅前のスクランブル交差点に、西日が差していた。

そこを歩いていた女子高校生が、ふと空を見あげる。

そして、奇妙なものが浮かんでいるのを発見して、目をこらした。

「ん？」

空中を、制服を着た女子高校生……のようなものがただよっているのだ。

それは、三十階建てのオフィスビルよりも、もっともっと高い場所を、ゆっくりと上昇していた。

「なんだろう、あれ」

思わず足をとめ、となりを歩いていた彼氏の腕をひっぱる。

「どれ？」

「あそこの、飛んでるやつ」

「ドローンじゃね？」

「絶対ちがうって。あれ、人間だよ。なんかこう、手と足がだら〜んとしてて、首をつられてるみたいな……」

と言ってみたものの、つっているロープが見えるわけではなかった。

彼氏はあきれたようだ。

「人間なわけないっしょ。ドローンだよ、ドローン」

「………そっか。まあ、そうだよね。人間が浮いてるわけないよね」

ふたりは、あははと笑って、すでに赤信号に変わった交差点をのんびりと歩いた。ふたりのせいで発進できない車が、いらだたしげにクラクションを鳴らす。

「邪魔だ！　ひくぞ！」

みんな知らなかった。

この町中に、見えない首つりロープがたれていることを。

何千、何万………無数のロープが、空のはるか高い場所からのびている。

それは地上を見おろして、次につるべき人間をさがしていた。

次は、由乃をいじめている佐々木もも子の番かもしれない。

いじめを見て見ぬふりをしている、アヤカとエマの番かもしれない。

赤信号を無視して歩いた高校生カップルかもしれない。
SNSに誹謗中傷を書いているあの人や、わざと人にぶつかってはどなりちらしている
あの人や、落ちている財布からこっそりお札を抜きとっているその人かもしれない。
もしかしたら、次はあなたの番かもしれない。

絶叫クラブ
集英社の本

洋服の青田
ルレアール
喫茶室
新宿アキオ
ピックカメラ
PICK CAMERA

エピローグ

百三十七時間目の授業はいかがでしたか？
誰の頭上にも用意されている、神のロープ。
罰を与えるために、高い場所から見張っています。
罪を犯した人を見つけると、するすると降りてくるのです。
どんなにかくれても、ロープから逃げる方法はありません。
少女も逃げられなかったようです。
とうとうつかまって、つられてしまいました。
必死に反省の言葉を口にしていたのに……残念でした。
もっともあれは、カタチだけの反省でしたけれどね。
神さまはなんでもお見通しです。

ロープは、みなさんの上にも降りてくるかもしれません。
え？
死にたくない、ですって？
大丈夫ですよ。
罪を犯さなければいいのです。
どうです？　簡単でしょう？

絶叫学級

138時間目

お前は誰だ

プロローグ

みなさん、こんにちは。
百三十八時間目の授業です。
今回の授業では、鏡を使います。
みなさん、ちゃんと鏡は持ってきましたか？
では、鏡をのぞいてみてください。
そこに映っている自分の姿を見て、なにを思ったでしょうか。
もっとぱっちりした目に生まれたかったですか？
低い鼻が嫌い？
くせ毛が気に入らない？
そんな不満が言えるうちは、まだ幸せ。

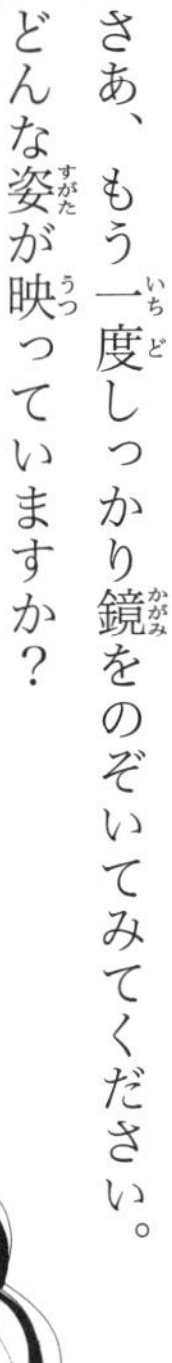

だって、映っているのは、たしかに自分だということですからね。
もし、知らない顔が映っていたとしたら………。
それって一体誰なのでしょうね？
さあ、もう一度しっかり鏡をのぞいてみてください。
どんな姿が映っていますか？

中学一年生の橋本香莉菜は、学校で一番鏡を見ている女の子だ。

いつでもハンドミラーを持ちあるいていて、教室でも、ろうかでも、通学途中の道路でも、しょっちゅう自分の顔を見つめている。

(鏡をのぞくたびに思うの)

香莉菜が微笑むと、ハンドミラーのなかの香莉菜も、にっこり微笑んだ。

(私は遺伝子レベルでかわいい!)

つやつやのロングヘア。

小顔で、あごのラインはシャープ。

目はぱっちりとした二重で、大きくてウルウルだ。

ふっくらした涙袋、すっと整った鼻筋、きゅっと口角のあがったくちびる。

鏡をのぞくたびに
思うの
私は
遺伝子レベルで
可愛い

肌だってすべすべで、ニキビやそばかすもない。

（完璧だよねっ！）

「香莉菜ってば、また鏡見て～」

誰かが呼んでいるけれど、自分の顔にみとれるのが忙しくて、それどころじゃない。

「香莉菜っ！」

「え？」

夢心地だった香莉菜は、ようやく我にかえった。

見れば、机のむかい側に座っている友里が、香莉菜をのぞきこんでいる。

友里のとなりに座っているなおみが、あきれて苦笑いしている。

「昼休みがはじまってから、ず～っと鏡見てたよ？」

「そっか、いま、昼休みだったね」

自分の顔にうっとりしすぎて、いまどこにいるのかさえ忘れていた。

「香莉菜、鏡好きだよねー」

からかってくるふたりにむかって、ウーッとすねた顔をしてみせる。「こんな顔をしても私はかわいい！」という自信があった。

「鏡、好きだよ？　いーじゃん、別に」

「ていうか、まじで女子力高いよ」

そう言ったなおみは、吹奏楽部でチューバを吹いている、まじめでおとなしい雰囲気の女の子。

「クラスで一番じゃね？」

と言った友里は、ショートカットでボーイッシュな、バスケ部の女の子。

ふたりともおしゃれとはほど遠いけれど、香莉菜は仲良くしていた。

「ふふ。ほめてもなにもでないよ～」

鏡のなかの香莉菜が、こんなに美しいことには理由があった。

（だって、私のママはモデルなんだもん――）

香莉菜の母親は、橋本恵。

十代でデビューし、いまでもファッション誌で活躍している人気モデルだ。

結婚して母親になっても若々しく、「奇跡の四十代」なんて呼ばれている。

（私も小さいころから、ママといっしょに女みがきをすることが当たり前だったしね）

両親はよくこう言った。

『香莉菜は笑顔でいるのが一番かわいい！』

『背筋をのばしていると、とてもかっこよく見えるわ！』

『自信を持って堂々としていようね！』

両親にはげまされて、鏡に映る香莉菜は、どんどん素敵な女の子になっていった。

美しさは母親ゆずり。つまり、遺伝子レベルでかわいいのだ。

（私の女子力が高いのは当然）

香莉菜がふたたび鏡をのぞきこむと、突然なおみが言った。

「あ、鏡といえばさ。やばい実験、知ってる？」

「えっ、なにそれ!?」

オカルト好きの友里が、すぐさま食いついた。

「〈おまえは誰だ〉って実験なんだけど」

香莉菜がきょとんとして聞きかえす。

「〈おまえは誰だ〉？」

「うん。都市伝説系の動画サイトを見てたらでてきたんだけど、外国でやった心理実験なんだって。被験者に、毎日鏡にむかって『おまえは誰だ』って問いかけさせるの」

友里がぱっと手をあげて言った。

「私、それ聞いたことある！」

ということは、知らないのは香莉菜だけだ。

「ええと、つまり、たとえば私が実験される人だとしたら、私は毎日鏡に『おまえは誰だ』って聞く……………ってこと？」

「そう」

「それだけ？　それのどこが都市伝説？」

すると、友里が興奮して説明しだした。

「いやいや、めちゃくちゃこわいんだってば。その実験をしたらね、一か月もたたないうちに、被験者がおかしくなっちゃったんだって」

「あー、はいはい。そういう系か………」

「Mytuberの人が試して、まじでおかしくなったんだって！」

友里もなおみも、その都市伝説を本気で信じているようだ。

でも香莉菜には、ばかばかしく思えた。

なにせ香莉菜は、鏡を毎日見ているのだ。「おまえは誰だ」と問いかけただけで頭がおかしくなるなんて、そんなおそろしいことが起きるはずがない。

（はーん）

香莉菜はくすりと笑った。

（こわがらせようとしてるな。私が毎日、鏡を見てるもんだから）

そして、にんまりと笑うと、わざとらしくハンドミラーをかかげた。

鏡にはいつもと変わらない、美しい自分の顔が映っている。

その顔を見つめながら、きっぱりと問いかけた。

「おまえは誰だ！」

「「お、おお〜」」

香莉菜の迫力に、ふたりが圧倒されている。

「強いな、香莉菜」

「こわくないの？」

首を横に振る香莉菜。

「ぜんぜん」

「「大人っぽーい」」

ふたりが声をそろえた。

でも、香莉菜に言わせれば、こんなくだらない都市伝説にビクビクしているふたりのほうが子どもっぽいのだ。

「なんなら、毎日言ってあげようか？」

得意げに微笑んだそのとき、ふいに視線を感じて振りかえる。

見れば、はなれた席にいるふたりの男子が、香莉菜のほうにチラチラ目をむけて、小声で話していた。

「おまえ、話しかけろよ」

「おまえが行けよ」

「いや、俺はムリだって」

ふたりは、香莉菜のことが気になってしかたがないようだ。

(フツーに話しかけてくれればいいのに)

香莉菜は、ふうっとため息をついた。

堂々と声をかけてくれれば、香莉菜だってきちんと会話をしてあげようと思っている。

でも、あんなにこそこそしている男子は失格。勇気がない。

(男子って子どもだな)

そう思い、ふたりにぷいっと背中をむけた。

その日、家に帰ると、早速母親に報告した。

「でね、男子たち、いつもチラチラ見てくるんだよ」

香莉菜は、ダイニングチェアに足を組んで座り、長い髪をくるくるといじった。

母親はキッチンでおやつを用意している。

「失礼しちゃうよね」

「それはね、女の子に話しかけるのがはずかしいのよ。ママもそういう経験あるなぁ。なつかしいわ」

母親が香莉菜のほうを振りかえり、やさしく微笑んだ。

(ママ、今日も笑顔がステキ……………)

母親の恵は、娘でもみとれてしまうほど美しかった。

サラサラの髪も、くっきりとした二重の目も、なめらかな肌も、この母親から受けついだもの。

(やっぱり、私とママってすごく似てる！)

幸せな気持ちになった香莉菜は、サイドボードの上を見やった。

そこには、たくさんの家族写真が飾られている。

三歳の香莉菜が、庭の花をつんで笑っているスナップ写真。

小学生のころ、親子三人でテーマパークに行ったときの記念写真。

(ウチって、パパもイケメンなんだよね～)

笑顔で写る三人は、どこから見ても、文句なしのおしゃれファミリーだ。

香莉菜は満足そうにふふっと笑って、話をつづけた。

「ねえ、ママ。あの男子たち、私のこと好きなのかなー」

「そうかもね。香莉菜はどっちかの子を好きなの？」

「うーん……別に」

（だって、どっちの男子も、私にふさわしいとは思えないもん）

美人の母親がイケメンの父親と結婚したように、香莉菜もやさしいイケメン男子と結ばれなければおかしい。

（ママも、やっぱり昔からもてたんだろうな）

こんな美女がクラスにいたら、男子はみんな好きになってしまうだろう。

（でも、地味でふつうの子は、誰の目もひかないんだよね。かわいそうだけど）

たとえば、友里やなおみ。ふたりはお世辞にも、もてるタイプじゃない。

「私、ママに似ててよかったぁ」

「そう思うの？」

母親が、おやつをのせたトレーを持ってやってくる。

「もちろん。だってね、あんま言いたくないけど、ブスに生まれちゃうと、やっぱ損した気になるもん。やさしくされないしさー」

「え？　ええ……そうね」

母親はとまどったようにこたえた。

香莉菜は大きくのびをすると、ダイニングチェアから立ちあがる。

「よーし、明日の髪型きめてこよっ」

「おやつは？」

「ごめん。あとで食べるから、おいといて！」

「もう、せっかく用意したのに」

「ごめんて」

そう言うと、上機嫌の香莉菜は、二階にある自分の部屋へあがっていった。

パタンと部屋のドアを閉め、ドレッサーの前に座る。

香莉菜が使っている鏡は、たくさんのライトで囲まれた、いわゆる「女優ミラー」だ。

明るく照らされた鏡の前に座ると、自分がさらに美人になったように思える。

「うん、完璧。私ってカワ――――」

途中まで言いかけたところで、なぜか突然、学校での会話を思いだしてしまった。

『〈おまえは誰だ〉って実験なんだけど』

「――――っとにもう。誰って、自分にきまっててんじゃん。ははっ」

しかし、そのときだった。

鏡のなかの自分が、まるで他人のように、じっとこちらを見つめたのだ。

「ん？」

ほんの一瞬だったが、香莉菜ではないように思えた。

「え……………」

前かがみになり、鏡をのぞきこむ。

当然、鏡のなかの香莉菜も、前かがみになる。

それはまぎれもなく、香莉菜の知っている香莉菜の顔だ。

じっ
…?
気のせいかな

「んん？　気のせいかな」

少し気味が悪くなってしまい、髪型はあとで考えることにした。

「下に戻ろっと」

部屋をでる前に振りかえり、もう一度、鏡を見る。

「…………」

特に変わったことはない。

「さっきは、誰かに見られてたような気がしたけど…………」

しかしすぐに思いなおした。そんなこと、あるはずがない。

鏡のなかにいるのは、いつもの香莉菜だ。


日付が変わり、ふだんと変わらない朝の時間がはじまった。

洗面室へ行くと、父親が鏡の前でネクタイを直していた。

「おはよー、パパ」

「おはよ、香莉菜」

父親が振りかえる。今日も若々しくてさわやかだ。香水のいい香りがする。

娘を溺愛している父親は、大げさに両手を広げて、ハグをした。

「朝から顔を見られるなんてうれしいな」

父親が頬ずりする。

「わっ、ひげチクチクした〜」

「お、ごめんごめん。行ってくるよ〜」

「行ってらっしゃーい」

洗面室から父親がでていくと、香莉菜は苦笑いを浮かべる。

「もうパパったら、まだ私のこと、ちっちゃい子だと思ってるんだから」

昔から父親は、香莉菜にとても甘かった。いまでも「目に入れても痛くないよ」と言うほど、娘のことを大切にしていた。

「もう中学生なのに」

と、歯ブラシを手にとって、鏡を見る。

次の瞬間、香莉菜はびくりと体を震わせ、歯ブラシを洗面台に落としてしまった。

「⁉」

鏡のなかの自分がにらんでいる。

あごをひき、下からねめつけるように、こちらを見すえている。

その目つきには、激しい恨みがこもっていた。

「え…………えっ？」

ごしごしと目をこする。

すると、鏡に映る香莉菜は、いつもの香莉菜に戻っていた。

（…………な、なに？　いま…………顔が…………）

確かめるように頬に手をやると、鏡のなかの香莉菜も同じ動きをした。

映っているのは、見慣れた自分の姿。髪型も、顔つきも、どこにも変なところはない。

「わ、私の見まちがいだよね！」

そう自分に言いきかせると、さっき落とした歯ブラシを、あわててつかんだ。

（顔が変わるなんて、ありえない…………）

うつむいたまま歯みがきをする。

鏡のなかの自分を見るのが、こわくなってしまったのだ。

その日は、ハンドミラーを手にとるのもこわかった。

「あれ？　めずらしい。香莉菜が鏡を見てないなんて」

「ほんとだ！　鏡見てない！」

昼休みに友里となおみに言われ、香莉菜はサッと顔をあげる。

「え？」

ふだんは堂々と笑顔を振りまいているが、今日は知らず知らずのうちにうつむきがちになっていた。

「あ……まぁ……」

歯切れの悪い香莉菜を、友里となおみは不思議そうに見つめた。

「どうした？　元気ないみたい」

「体調でも悪い？」

「ううん。大丈夫……」

「それならいいけど」

ふたりは再びおしゃべりをはじめた。香莉菜が落ちこんでいるのに、とても楽しそうだ。

（もう、ふたりが変なこと言うから………）

そもそも、ふたりが妙な実験の話なんてするのがいけないのだ。あんな話を聞かなければ、今日も気持ちよく鏡を見られたはず。

（気のせいだよね。本当に頭がおかしくなるわけないじゃん）

友里となおみを盗み見る。

ふたりは小さな声でなにかを話し、ぷっと噴きだした。

（もしかして、いま、私のこと話してた？）

ふだんの香莉菜なら、こんなふうに悪くとらえることはない。「私にも教えてよ」と会話に入っていっただろう。

けれど今日は、あらゆることに疑い深くなっていた。

（このふたり………私がかわいいから、本当はおもしろくないんじゃない？）

そう考えているうちに、だんだん眉間にしわが寄ってくる。

（そっか。だからわざと鏡の話を持ちだしてきたんだ…………）

考えれば考えるほど、それが正解だと思えてきた。

（いっしょにいて楽しいけど、やっぱ「女」なんだわ）

友里となおみは、女として香莉菜に嫉妬しているのだ。

いくら嫉妬しても、遺伝子レベルでかわいい香莉菜にかなうはずがないのに。

そう思ったとたん、ばかばかしくなってきた。不機嫌でいるのにも飽きてきて、大きく息をはく。

ふたりが心配そうに声をかけた。

「本当にどうしたの？　保健室行く？」

「なんでもない」

（あーあ、バカみたい）

気持ちがおちついてくると、いつものように鏡を見たくなってきた。

香莉菜はカバンから折りたたみのハンドミラーをとりだし、ぱかっと開いた。

しかし、そこに映っていたのは。

「え…………？」

見たこともない少女の顔だった。

むくんだフェイスラインに、はれぼったい目。

手入れをしていないぼさぼさのまゆ。

鼻は低くてまるっこく、肌もニキビだらけ。

香莉菜とはまるで正反対の、みにくい顔だ。

それなのに、髪型と制服、体形は、香莉菜とそっくり同じ。

顔だけがちがうのだ。

「だ、誰⁉」

思わず香莉菜は、椅子から立ちあがった。ガタッと大きな音がして、教室のみんなが振りかえる。

「別人が映ってる…………」

鏡を見つめながら、右手で顔をさわると、鏡のなかの少女も顔をさわる。

友里となおみが言う。

え……？

「なに言ってんの？　いつもの香莉菜じゃん………」

「どうしちゃったのよ。今日はなんかおかしいよ？」

ふたりはぽかんとして、立ちあがった香莉菜を見あげた。友里もなおみも、異変に気づいていないのだ。

（これが見えてないの!?）

きっと鏡に映っている少女の姿は、香莉菜にしか見えないのだ。

香莉菜はこわごわと鏡をのぞいた。

みにくい少女は、まだそこにいる。

気味が悪いし、なにより髪型や制服をそっくりそのまま真似していることが不愉快だ。

（消えてよっ!!）

激しく閉じたハンドミラーを、投げすてるようにカバンにしまう。

香莉菜の心臓は、恐怖でドクンドクンと激しく音をたてた。

みにくい少女はどこまでもついてきた。

学校のトイレの鏡にも。

道路に停まっている車のサイドミラーにも。

公園の池の水面にも。

ビルの前で立ちどまると、ガラス窓にも、あの少女が映っていた。

(ほら。やっぱり別人が映ってる。どこを見ても、あいつがいる)

みにくい少女は、まばたきもせず、細い目で香莉菜を見つめてくる。

「なんなのこいつ……‥‥…!!」

香莉菜は、その目から逃げるようにかけだした。

「私がおかしくなってるの?」

そんなはずはない。

友里となおみの話は、ただの都市伝説。

香莉菜はたしかに鏡にむかって「おまえは誰だ」と言ったけれど、それが原因でおかしくなるなんて、ありえない。

「おかしいのは私じゃない。鏡がおかしいんだ」

家につくやいなや、バタバタと階段をあがり、自分の部屋に閉じこもった。

部屋着に着がえ、ドレッサーの前に座って、女優ミラーのライトをつける。

鏡をのぞくと、みにくい少女は香莉菜と同じ部屋着を着て、こちらを見ていた。

「真似すんな！」

少女はだまって香莉菜を見つめつづけている。

やがて、一階のキッチンにいる母親の声が聞こえてきた。

「香莉菜ー、夕食よー」

香莉菜は返事をせず、鏡のなかの少女をにらみつけた。

「こんなブスが映ってたら、メイクしても意味ないじゃん」

せっかくの女優ミラーが台無しだ。

この女優ミラーだけではない。ハンドミラー、池の水、ビルのガラス窓――ありとあらゆる場所に、この少女が映ってしまう。

どこを見れば、本当の香莉菜の姿が映っているのだろう。

「どうしてこんなことになっちゃったの？」

香莉菜の目に涙が浮かんだ。

「かえしてよ、私の顔！」

鏡のなかの少女が、顔をゆがめて憎らしげににらみかえす。

それを見て、ついに香莉菜の怒りが爆発した。

「ふざけんなっ！」

鋭く叫び、メイクブラシや、アイシャドウのコンパクトをつかんで、鏡に投げつける。

ガンッ！

激しい音とともにコンパクトが壊れ、アイシャドウが粉々になって飛びちった。

鏡のなかの少女は、香莉菜を見くだすように「ふ」とくちびるのはしをあげた。

そして、大きな口を開けて笑いだす。


ふはははははは！

少女が香莉菜を指さした。

ざまあみろ、とでも言いたげだ。

あはははははははは！


「キモいんだよ!!」

香莉菜は立ちあがり、椅子を持ちあげて、女優ミラーにたたきつけた。

パリン！

鏡の一部がわれ、破片が床に落ちる。

物音を聞いて、両親が階段をかけあがってきた。

「香莉菜？」

父親がそっとドアを開けると、部屋の様子におどろいた母親が叫ぶ。

「どうしたの!?　香莉菜、なにしてるの!!」

「変なやつがいるの!!　鏡のなかに!!」

香莉菜は部屋にあるものを、手あたり次第に投げつけた。

「やめなさい、香莉菜！　一体どうしたというんだ!?」

父親が、暴れる香莉菜をとりおさえる。

しかし香莉菜は髪を振りみだし、壊れた鏡にむかってわめくばかりだ。

「なんなのあんた………誰なのよ!!」

声をからして泣き叫ぶ。

「こいつ、誰なのぉ!!　キャアアアア！」


両親になだめられ、次第に香莉菜はおちつきをとりもどした。

しかし、次の日の朝になっても部屋のカーテンは閉めっぱなし。こわくて部屋からでられず、毛布をかぶってガタガタと震えていた。

「………顔………顔が………」

学校なんて行けるはずがなかった。

われた女優ミラーは両親が片づけ、ハンドミラーも捨ててもらった。

いまや香莉菜の部屋には、ひとつも鏡がない。

電話をかける母親の声が、部屋の外から聞こえてきた。

「はい。しばらく学校は休ませますので」

（あいつは学校にも来る。絶対についてくる…………）

安全なのは、鏡がひとつもなく、ガラスをカーテンでさえぎったこの部屋だけだ。


数日がすぎた。

母親がドアをノックし、声をかける。

「香莉菜、お友だち、来てくれたわよ」

香莉菜は返事をせず、暗い部屋のなかで、頭からすっぽりと毛布をかぶって床に座り、ベッドにもたれかかっていた。

「香莉菜、入るわよ」

毛布をかぶったままおそるおそる振りかえると、開いたドアの外に、友里となおみが立っている。

「どうしたの、ずっと休んで」

「香莉菜、大丈夫？」

心配して様子を見にきてくれたのだ。

「っ………」

香莉菜はやっと毛布から顔をだし、ふたりのほうへ、ずるずるとにじり寄っていった。

「わっ………私の顔、ちゃんとかわいいよね………!?」

自分の顔を両手でさわりながらふたりを見あげ、ぼろぼろと涙をこぼす。

「ちゃんと、かわいいよ、ねえっ!?」

友里となおみは目をまるくした。

それから、お互いに目配せをしてうなずきあう。ふたりは香莉菜の目線に合うように、その場にしゃがんだ。

「まじで、どうしちゃったの、あんた………」

なおみがそう言って、カバンから鏡をとりだした。

「ほら、よく見て。いつもの香莉菜の顔でしょ」

鏡を香莉菜にむけた。

そこに映るのは、みにくいあの少女だ。

香莉菜は、大きな口を開けて泣きだした。

「うわああ…………ちがう…………ちがうよ…………」

友里となおみは、途方に暮れてしまったようだ。困りはてた様子で、鏡を床におく。

「ちがう…………私はママの子なんだから、こんなブスなわけないじゃんっ…………わああああああ」

泣き叫ぶ香莉菜を見て、母親はうろたえることしかできない。

するとそのときだった。

ズズズズ――――。

床においた鏡の表面から、あの少女がせりだしてきたのだ。

「いやぁっ！　でてこないでよぉっ！」

ズズズとひきずるような音をたて、少女の顔が浮きあがる。顔だけではない。指まで飛びだしている。

少女はニヤリと笑いながら、香莉菜を目で追い、手をのばしていた。

「あ、あいつが、あいつが…………」

香莉菜があとずさる。

「来ないで…………あんたなんか来ないでっ…………」

香莉菜はいやいやと首を振り、鏡から浮きあがってくる少女を手で追いはらった。

しかし、友里たちの目には、香莉菜がなにもない空間を手で払っているようにしか映らなかった。

他の人には、少女の姿が見えていないからだ。

「…………香莉菜、なに言ってるの？」

友里となおみが、おびえてあとずさる。

すると、母親がなにかを思いついたのか、突然、本棚に手をのばした。

そこから一冊のアルバムをひきぬき、香莉菜の前に広げる。

「よく見て」

錯乱していた香莉菜の動きがとまった。

母親はもう一度ゆっくりと言った。

「ねえ、香莉菜。これをよく見て」

「あ………」

香莉菜は、大きく目を開いて、アルバムを見つめた。

その目に飛びこんできたのは、あの少女の写真だ。

少女は真新しいブレザーを着て、髪にリボンをつけ、母親のかたわらに立っている。少女とは似ても似つかない、美しい母親とならんでいるのだった。

写真のそばには「幼稚園入園式」というシールが貼ってあった。

「ひいっ、こんなとこまであいつの顔が！」

「あいつなんていないわ。これが香莉菜よ」

衝撃のあまり、香莉菜の呼吸はとまりそうになった。気が抜けたように、母親の言葉をくりかえす。

「これが………香莉菜………」

母親の目から、大粒の涙が流れだした。

「そう。これがあなたの顔なのよ。外にでるたび、私に似てないって言われて、泣いてた

よく見て
幼稚園入学式
ひいっ
こんなとこまであいつの顔が
あいつなんていないわ
これが香莉菜よ……

じゃない………」

　そうだ。

　これは私――香莉菜の顔。すっかり忘れていた。

　幼稚園の入園式で、みんなは母親の美しさをほめた。

『香莉菜ちゃんのママ、美人〜』

『へへっ、そう？』

　母親をほめられて、得意になっていた香莉菜に、みんなは言うのだ。

『香莉菜ちゃん、ぜんぜん似てないね。ブスじゃん』

（私はママの娘なのに、そんなはず………）

『そんなはずないよ』

『なに言ってるの、香莉菜ちゃん。鏡見たことある？』

　ひどいことを言うのは、友だちだけではなかった。近所の大人たちも、橋本家のうわさをした。

『あそこんち、似てないわよね。ご両親はきれいなのに』

『娘は、かわいくないよね』

『ブスじゃん、ブス』

『本当に親子⁉』

母親と手をつないで道を歩くと、みんなが香莉菜に、めずらしいものでも見るようなまなざしをむける。

そんなときは、絶望して涙がでてくる。

(私はママの娘なんだから、絶対に美人なはず………)


アルバムを広げた母親が、泣きながら言った。

「『どうして私はママに似てないの?』ってよくふさぎこんで………そのたびにパパとふたりであなたをなぐさめた………」

そして、さびしそうに笑う。

「小学校にあがるころには、もうすっかり気にしなくなったと思ってた」

香莉菜は、ぽかんと口を開けた。

「でも本当は、自分の顔がわからなくなってたのね」

香莉菜が、ずっと鏡のなかに映していたかわいい自分は、ただの理想の姿。

いま見ているのが、現実の顔。

香莉菜と母親は、まったく似ていなかったのだ。

『私、ママに似ててよかったぁ』

香莉菜がそう言ったとき、母親がとまどいの表情を浮かべたのは、それが理由だった。

『だってね、あんま言いたくないけど、ブスに生まれちゃうと、やっぱ損した気になるもん。やさしくされないしさー』

そう言ったときも、母親は困っていた。

教室で、男子が香莉菜をチラチラ盗み見ていた。

『おまえ、話しかけろよ』

『おまえが行けよ』

『いや、俺はムリだって』

そう言ってつつきあっていたのは、香莉菜を好きだったからじゃない。

肝試し気分で、バカにしていたのだ。

「――そんなのうそだよ。ちがう」

はれぼったい香莉菜の目から、涙がこぼれた。

涙は、まるくて低い鼻の横を伝って落ちていく。

「だって……私は……」

香莉菜は突然立ちあがり、机の上へ手をのばした。

ペン立てからすばやくカッターをつかみとると、カチカチと刃をだす。

「私はかわいいはずよ……ママの子なんだから、私は！」

「香莉菜、やめなさい！」

母親の声を無視して、香莉菜はカッターを振りあげた。

「昔からずっと、遺伝子レベルでかわいいの！」

そうわめくと、カッターを自分の顔に振りおろす。

ザクッ！

かたいカッターの刃が、顔の皮膚を削りとった。

「キャァァァ！」

友里となおみが、悲鳴をあげる。

筋肉標本のようになった顔で、香莉菜は叫んだ。

「かわいいの、私はっ…………!!」

それからというもの、橋本家は、火が消えたように暗い家族になった。

美しいモデルの母親と、若々しくさわやかだった父親は、いまやげっそりとやつれ、笑顔も見せなくなった。

近所の人たちがうわさする。

「聞いた？　橋本さんちの娘さん、養子だったんですって」

「ご両親に子どもができなくて、それで」

「どうりで似てないわけだわ」

「でも、ご両親、娘さんのこと大切に育ててたみたいよ」

両親にとって香莉菜は、血がつながっていなくても愛しい娘だったのだ。

ダイニングのサイドボードには、いまもなお、テーマパークで撮った家族写真や、なにげない日常のスナップ写真が飾られていた。

香莉菜は、まだ入院していた。退院のめどはついていない。

自分で皮をはいだ顔には、ぐるぐると包帯が巻かれている。

今日もベッドに半身を起こし、ハンドミラーを見ている。

「…………あんた誰？　ねぇ、誰なの？」

そうつぶやきながら、何時間でも鏡をのぞいているのだった。

エピローグ

百三十八時間目を終了します。
鏡にむかって「おまえは誰だ」と問いかけた少女。
彼女は気づいてしまいました。
それが本当の自分ではないことに。
少女がずっと見ていたものは、少女がつくりあげた理想の姿。
まぼろしの姿だったのです。
それを自分だと思いこんだ時点で、すでに精神は崩壊していたのかも。
鏡の実験をやる前に、彼女の心はとっくに壊れていたのでしょう。
少女をそこまで追いこんだのは、一体誰なのでしょうね？
気の毒な少女が、少しでも救われることを願います…………。

この都市伝説を試すと、おそろしい事実に気づいてしまうかもしれません。
みなさんは、やってみたいと思いますか？
少女のようになってしまってもかまわない、その覚悟があるなら、私はとめません。
勇気のある方は、ぜひどうぞ。

139時間目

黄泉の追想

プロローグ

みなさん、席についてください。

百三十九時間目の授業をはじめます。

今回は、私、黄泉の――いいえ、秋元優美の話です。

私の姿が、優美という少女にそっくりだということは、みなさんもご存じですよね？

理由は、優美の体に、黄泉が封印されているからです。

体と言っても、優美はずいぶん前に死んでしまったから、正しく言えば「幽霊の体」なのですけどね。

ゆらめく長い髪、力強い目、セーラー服。

そんな優美の姿が、私はとても気に入っているんです。

優美はどんな女の子だったのでしょう。

ふふ。気になりますよね。
下半身が見えないのはなぜ？
死んでしまった理由は？
友だちはいたの？
性格は？
この授業を受ければ、
きっとわかるはずです。

その中学校では、創立以来の大事件が起きていた。

「聞いた？」

あまりに衝撃的な事件で、卒業生の耳にも入るほどだ。

数年前に卒業して、すでに高校生になっている生徒でさえ、通学途中にうわさをしていた。

「うちの中学で大事故！」

「新聞で見たよ。何人か亡くなったらしいね」

「こわ〜」

こわい話をしているくせに、彼女たちは好奇心でわくわくしている。

「こわいと言えば、知ってる？　裏のぼろい祠」

「裏？」

「中学の裏にあったじゃん」

「あったね。あったあった！」

「あそこにお願いごとするとさ――」

古びた祠は、小さな石垣の上に建てられていた。

校舎のすぐ近くの、木々に囲まれた場所に、ひっそりとたたずんでいる。

いつ誰がつくったのか、知る人はいない。

古いわりには、壊れたり腐ったりしている部分はなく、祠のまわりも汚れていなかった。

きっと近所の誰かが手入れをしているのだろう。

ある夜のこと。その祠の前に、人影が近づいていった。

人影は女性だったが、あたりが暗いせいで、少女なのか老婆なのかわからない。

「神さま…………」

彼女は神さまにお供えするため、くだものの包みを抱えていた。

それを祠の前におくと、彼女――保坂まことは、目を閉じて一生懸命に願った。

「あの子が死ぬ前に戻してください」

どうか、どうか、やりなおさせてください――。

数分間、静かに祈りつづけて目を開く。空が明るい。

「え………さっきまで夜だったのに」

きょろきょろとあたりを見まわし、自分の体を見てびっくりする。

「私、制服着てる………」

まことが着ているのは、中学時代のセーラー服だった。長袖だから冬服だ。

冷たい風が吹きぬけ、ショートカットの髪をさらっとゆらした。

「もしかして………戻れた？」

そのとき、校舎のほうから声がした。

「まことーっ」

ふりあおぐと、三階の教室の窓から、見覚えのある少女が呼んでいる。中学三年生のときのクラスメイトだった。

「まこと、なにしてんの ーっ。五時間目、家庭科だよーっ」

彼女がいるのは家庭科室。壁際の棚に、調理器具がならんでいるのが見える。

あの日、家庭科室は、創立以来の大事件――ガス爆発でめちゃくちゃになった。だけどいまは、窓も壁も調理器具も、もとのまま整っている。

(まちがいない)

まことは確信した。

「……時間が戻ったんだ。爆発する前に」

まことが「時間を戻してほしい」と祠の神さまに願ったのには、理由があった。

(私の親友が死ぬ。この学校で)

まことの親友だった秋元優美は、爆発事故で死んだ。

優美が家庭科室でガス栓を開き、ホースを抜いたのだ。

それによってひきおこされた爆発で、家庭科室は壊滅状態になった。そこにいた全員が重傷を負い、ふたりの女の子が亡くなった。

(優美は即死。腰から下は爆風で吹きとばされ、いくらさがしても見つからなかったって……)

棺には、下半身のない遺体を入れるしかなかったそうだ。


葬儀の日のことを、いまでも覚えている。

まことは青ざめた顔をして、他の生徒たちとともに会場の椅子に座っていた。

祭壇にはたくさんの花が供えられ、真ん中には優美の遺影があった。

セーラー服を着て、意志の強そうな目をこちらにむけている優美。

もういっしょにおしゃべりすることも、ケンカすることもできなくなってしまった。

(ごめんね、優美)

遺影から視線をそらしてうつむくと、まわりの大人たちの話が聞こえてきた。

『優美ちゃんって、ひとり娘でしょ』

『親御さん、つらいわよねー』

『きれいな子だったのに………』

『でも、クラスでいじめられてたらしいわよ』

『え、じゃあ自殺？』

その言葉を耳にしたまことは、ひざの上においた両手を、ぎゅっとにぎる。

悲しいのに、なぜかちっとも涙が流れなかった。

（私がそばにいれば、優美は………）

まことはその思いを秘めながら、ずっと生きてきたのだった。

祠の神様は、まことにチャンスを与えてくれたようだ。爆発事故が起きる前に、時間を戻してくれた。

「こうしちゃいられない。早く優美をさがさなくちゃ！」

大急ぎで校舎へ走っていく。

昇降口では、入ってすぐのろうかの壁に、ふたりの生徒が「12月の目標　思いやりを大切に」と書かれた紙を貼っていた。

(あの紙、覚えてる)

生徒会が毎月貼りだすスローガンだ。爆発事故のあった日も、同じ生徒が同じ紙を貼っていた。いまでも覚えている。

(つまり……今日があの日!)

まことは、ますますあせってしまった。急ぎ足であちこちのろうかを歩きまわる。そして、三階に来たときだった。

「待ってよ、優美」

ふいに声が聞こえ、まことはびくりと足をとめる。

(優美!?)

もう一度会いたいと思いつづけてきた優美が、ろうかのむこうから歩いてくる。

背中にかかるほど長く黒い髪。

すいこまれてしまいそうなほど、美しい瞳。

磁器のように白い肌。

なつかしい親友の姿だ。

待ってよ
優美
ねぇーっ
キャいいい
はっ
優美…
あれ？
まこと？
あんたも
家庭科
サボり？
…
あ…
私は…
んな度胸
こいつにない
でしょーっ
はは

優美はまことに気づいていないのか、それともわざと気づかないふりをしているのか、無表情で歩きつづけていた。

そのうしろを、女子生徒ふたりが追ってくる。

「ねぇーっ、優美ってばー」

「おい、無視すんなってー」

ひとりの少女が、すごみのきいた声でそう言った。

髪をふたつに結び、まゆをつりあげているこの少女は、同じクラスの増谷千夏。優美をいじめていたグループのリーダーだ。

千夏たちは、まことに気づくと、立ちどまった。

「あれー？　まこと？　あんたも家庭科サボり？」

「……あ……えっと………」

まことが言いよどんでいると、千夏たちが笑う。

「あはは！　んな度胸、こいつにないでしょーっ」

「言えてるー。ははは！」

ふたりはくちびるをゆがめ、まことの反応を楽しんでいる。

なにも言いかえせないまことを、優美はちらりと横目で見た。けれど、さめた顔をして家庭科室のほうへと歩き去ってしまう。


思いかえせば、優美が千夏たちの反感を買ったのは、中三になってすぐだった。

原因は、学年で一番人気のある男子の、たった一言。

『なあ、増谷。秋元優美ちゃんのアドレス教えてよ。同じクラスだろ？』

彼は、モデルにスカウトされたこともあるくらいのイケメンで、どうやら千夏は彼のことが好きだったらしい。

（それから少しずつジワジワ広がって…………）

千夏は優美のことを、目のかたきにしはじめた。

仲間とつるんで、優美の上履きに「死ね」と落書きをしたり、教科書をやぶいたり。

いじめがはじまってしばらくたつと、だんだんと優美の態度が変わっていった。

『優美、いっしょに帰ろ』

まことが誘っても、優美は冷たくことわる。

『用があるから、先に帰ってて』

『用事が終わるまで待つよ』

『待たなくていい』

そうやって、まことを遠ざけるようになった。

理由も教えてくれないまま、まことからはなれていってしまった。


家庭科室のほうへむかう優美のうしろ姿を見つめ、まことは思う。

(ごめんね、優美。私、なにもできなかった。事故のあったあの日、私はこわくて、ひとりで逃げてしまった。優美にさけられてても、本当はいっしょにいたかった。でも
――――)

爆発事故が起きた日の放課後、優美とまことは教室に閉じこめられ、優美は一方的に暴力をふるわれた。

(勇気がなくて、こわくて、見ていることしかできなくて。千夏たちが教室をでていった

あと、私はひとりで先に帰ってしまった）
まことの胸に、葬儀で聞いた言葉がよみがえる。

『でも、クラスでいじめられてたらしいわよ』

『え、じゃあ自殺？』


（……………ダメ。もうあんなのは、いやだ）

まことは、ぎりりと歯を食いしばった。

千夏たちがニヤリと笑い、まことの行く手をはばむ。

「はぁ？　なんか文句でもあんの？」

「あんたさ、優美に無視されてんじゃん。あいつ、先に行っちゃったよ？　ははは！」

千夏に逆らうのはこわいけれど、このまま放っておいたら、また同じことのくりかえし。

（そうさせないために、戻ってきたんだから！）

まことは、自分を奮いたたせるようにつぶやいた。

「今度こそ、私が守る……優美の運命を変えるの」

まことは千夏たちを押しのけ、優美を追いかけた。

「優美っ！」

振りかえった優美の手を、しっかりとにぎる。

「走るよ！」

目をまるくしている優美をひっぱり、まことはろうかをかけだした。

千夏たちが叫ぶ。

「おい、どこ行くんだよ！」

「おまえら、ふざけんなっ！」

どなり声を背中に聞きながら、ふたりは手をつなぎ、必死に走った。

教室にカバンをとりに行き、一目散に昇降口へむかう。

「千夏たちに見つかる前に、外にでるよ！」

「えっ、ちょっ……まこと⁉」

校門の外につくと、ふたりはようやく立ちどまり、息を整えた。

「ハァ、ハァ、ハァ」

優美が、汗のにじむ顔をあげて言った。

「……なにしてんのよ、まこと」

「説明はあと！」

「こんなことして、あいつらに目つけられたいの？」

「つけられたくないよ。でも」

未来から戻ってきたなんて言っても、きっと信じてくれないだろう。

「でも、今日だけは……」

口ごもるまことを、優美は不思議そうにながめ、ふっと表情をゆるめる。

「まことって、臆病なんだか、強いんだか」

「お、臆病って、ひどい！」

「そういえば、初めて会ったころも、みんなが私をこわがってるなかで、まことだけは話しかけてくれたよね」

優美と初めて会ったのは、小学校一年生のとき。

教室で席がとなりだった優美は、そのころからおちついていて、ひとりで本を読んでいるような子だった。だから、一見、冷たい人に見える。

クラスメイトのなかには、「にらまれた」「こわい」と、よそよそしくする人もいた。

でも、まことは関係なく話しかけた。

『優美ちゃんも、いっしょに縄跳びしない？』

『え？』

休み時間に声をかけると、優美はびっくりしたように本から顔をあげた。

『………私はいい』

『そう？　じゃあ、また今度ね！』

そのときはことわられてしまった。

けれどある日、傘がなくて困っていたまことに、優美がだまって傘を差しだしてくれた。

それからいっしょに下校する日が増え――いつの間にか親友になっていた。

「あんな不愛想な私に声をかけるなんて、勇気あったよね。そのくせ、女子に少しでもシカトされたら、大泣きするし」

「そ、そうだったっけ？」

「そうだよ。まこと、泣き虫じゃない」

まことはばつが悪くなり、苦笑いをした。

「泣き虫なのに…………こわかったでしょ、さっき」

「え？」

優美は、まことを正面から見つめた。

「さっき、千夏たちから逃げたときだよ。大丈夫？」

優美はこういう子だった。クールに見えるけれど、友だち思いでやさしい子。

それなのに、まことに勇気がたりなかったせいで、いじめにあう優美を守れなかった。

「…………ごめん、優美」

「どうしてあやまるの？」

「私、優美をひとりぼっちにした」

「そんなの、なんとも思ってないけど？」

（そうじゃないの。私、あなたのことをおいて帰ったの）

そっけない横顔を見ていると、まことの心はますます痛んだ。

（優美はいつも、そうやってなんでもないって顔して、となりで助けてくれたよね）

小学生のとき、まことがクラスの女子にハブられて泣いた日も。

両親に怒られて落ちこんだ日も。

優美はいつも、まことを信じてとなりにいてくれたのだった。

かっこよくてやさしい女の子――。

（優美は、私のあこがれなんだよ）

涙がこぼれそうになるのを、ぐっとこらえて言う。

「ねえ、優美。どこか寄り道して帰ろう？」

「帰ろうって……もう学校には戻らないつもり？」

「うん。最初からそのつもりで、カバンをとりに行ったの。午後の授業はサボるよ」

「めずらしいね。いつもまじめなまことが、そんなこと言うなんて」

「たまにはいいじゃん。ね？」

爆発事故があったのは、六時間目の授業が終わったあとだ。このまま帰宅すれば、優美は死なずにすむ。

「アイスでも買って、河川敷の公園に行こうよ！」

「一体どうしちゃったの？」

「いいから、いいから！」


まことは優美の手をひいて、公園にむかった。

途中のコンビニで二個入りのアイスを買い、ふたりでわけあう。

「なんだか、なつかしい。小学生のときは、よくいっしょにアイス食べたよね」

まことがはしゃぐと、優美はだまってうなずいた。

河川敷の公園には、川につづく階段がある。

そこに腰かけて、ふたりはアイスを食べた。あと三段もおりれば、そこはもう水面だ。

「落ちないように気をつけてよ？」

「まことのほうでしょ、こういうときに落ちるのは」

「へへへ」

北風が、川べりのススキやオギをゆらしている。

まことは、ここまで来る間に考えたことを、優美に伝えた。

「千夏たちのことなんだけど、あのままにしておいたら、どんどんエスカレートしていくと思うんだ」

爆発事故は防げても、いじめそのものを消し去らなければ、意味がない。

(私がもとの世界に戻ったあとも、優美には安全に暮らしてもらいたいんだよ)

「だから、大人に言って、助けてもらおうよ」

「ムダ」

「担任の先生は？」

「それもムダ。覚えてないの？　私とまことで言いに行ったことあるじゃない。でもとりあってもらえなかった」

「じゃあ、校長先生に直に言いに行こう。あの人たちのやってることは犯罪です、って」

「…………大げさ」

「大げさなんかじゃない！　なにかあってからじゃ、遅いんだよ!?」

思わず声を荒らげたまことを、優美はおどろいたように見つめた。

はっと我にかえり、目をそらす。

「ご、ごめん…………。怒ってるわけじゃないの」

「わかってる」

「でもさ、千夏たち、ひどすぎるじゃん」

「別に平気」

「え？」

「平気だよ。私、なにも感じないから」

優美は、感情の消えた声でそうこたえた。

(そんなの、うそだよ。そんな子じゃないって、私は知ってる)

優美は心を閉じてしまっている。どうしたらまたもとの優美に戻ってくれるのだろう。

その方法がわからなくて、くやしかった。

まことはくやしまぎれに立ちあがり、川の水をすくって、パシャッと優美にかけた。

「ちょっと……………！」

水をよけようと手のひらをかざした優美に、まことが言う。

「ほら、やっぱりうそ！」

「うそってなによ。冷たいでしょーっ」

「感じないなんてうそ。感じてるじゃん。冷たいって」

「はあ？　子どもか」

「ほらほら」

まことは真剣な顔をして、さらに水をパシャパシャかけた。

「ちょ………ほんとやめて」

とうとう優美はあきれ、「バカみたい」と言って帰ろうとする。

ところが立ちあがった瞬間、ぬれた階段で足をすべらせてしまった。

「あ！」

「え？」

バランスをくずした優美が、とっさにまことの制服の袖をつかむ。

「うわ、あぶな――」

足をふんばったものの、あえなくふたりとも川に落ちてしまった。

「冷たっ!!　大丈夫、優美!?」

「う、うん」

浅かったおかげでケガはないが、靴やスカートがずぶぬれだ。

「まさか、まことまで落ちるとは思わなかった………」

「落としたくせに、よく言うよ」

ふたりは顔を見あわせた。自然と笑いがこみあげる。

「あ……はは……………!」

「はははは!」

(優美、やっと笑ってくれた)

それは、まことがいままで何度も見た、まぶしい笑顔だった。

なにも感じないはずはない。楽しさを感じたらこんなふうに笑って、悲しいときには泣

くのは、当たり前。

(だって優美は、誰よりもやさしい人だから…………)

まことは優美の手をとって、階段の上にあがる。

「ほら、風邪ひく前にあがろう」

「そうだね」

ぬれた手足をハンカチで拭くが、水をすってすぐにびしょびしょになってしまった。

「さっきアイスといっしょに、タオル買えばよかったね」

「川に落ちるなんて思ってなかったし」

まことがスカートをしぼりながらふと見ると、優美がカバンのポケットから携帯電話をとりだしている。

優美の表情が、見る見るくもった。

「どしたの？」

「なんでもない」

優美は携帯電話をしまい、立ちあがる。

「えっ、優美!? どこ行くの？」

「ごめん、用事ができた」

「えっ、なに？ 大丈夫なの？ 用事ってまさか」

もし千夏たちに呼びだされたのだとしたら、絶対にとめなければならない。

「父さんが、仕事早く終わったから、ごはん行こうって」

「そっか、それなら………」

それなら安心だ。優美が死ぬことはない。

「じゃあまこと、私、先に行くね」

優美は、心なしかさっぱりしたような顔をして歩きだした。

少しすすんだところで、まことのほうに振りかえり、やさしく微笑む。

「また明日」

「うん………明日、ね」

まことはうなずいて手を振った。でも胸のなかに、不安がしこりのように残っている。

(大丈夫、だよね？)

祠の神さまはきっと、まことたちの味方をしてくれるはずだ。

遠ざかる優美の背中を見つめながら、自分自身に問いかけた。

(私、ちゃんと運命を変えられたんだよね………?)


しかし、優美がむかった先は、家ではなく学校だった。

下校放送が流れるろうかを、わき目もふらずにまっすぐすすむ。

家庭科室の扉を開けると、千夏とふたりの仲間が待ちかまえていた。

「お、ちゃんと来たー」

ステンレスの調理台の上に座っていた三人は、優美を見ると、すとんと床に飛びおりる。

「メール、無視するかと思ったし」

「そんな勇気なんてないよねぇ、優美?」

優美はなにもこたえず、冷たい視線を三人にむける。

千夏は、チッ、と舌打ちをし、優美に近づいていった。

「で、まことだけど。あれ、なんだったの?」

優美は口を開かない。

「いきなり逃げたりして。まさか、大人にうちらのこと、バラそうってんじゃないよね？」

まばたきもせずに、ただじっと見つめる優美に、千夏はますますイラついてきたようだ。

「……………ほんっと、態度悪いな。なんなの、その目」

優美は表情を消したままだ。

「なに言っても、ぜんぜん返事しない」

千夏が、さらに近づく。

「なにしても、泣きもしない」

そう言うと千夏は、調理台においてあったカバンをつかみ、思いきり投げつけた。

「気持ち悪い女っ……………」

バシッ！

大きな音が、家庭科室にひびいた。

しかし、飛んできたカバンにあたったのは、優美ではなかった。

!?
まこと!?
何で…
こっちが聞きたいよ
何でここに戻ったの!?
こんなの立ち向かう必要ない
相手にしちゃダメなのに

まことだ。かけつけたまことが、優美の前に立ちはだかったのだ。

顔にカバンの直撃を受けたまことは、ふらついて倒れそうになる。

「はぁ!? まこと!?」

千夏が頬をぴくぴくさせている。

優美はおどろいて目を見開き、倒れかけたまことに手をのばした。

「どうしてここにいるのよ、まこと………」

まことは優美を背にかばい、肩ごしに言った。

「こっちが聞きたいよ！　優美、なんでここに戻ったの!?」

(こんなの立ちむかう必要ない。相手にしちゃダメなのに)

相手にすれば調子にのり、いじめはますますひどくなる。未来から来たまことは、それを知っていた。

「なんでって………」

口ごもった優美のかわりに、千夏がこたえた。

「だって、優美がいじめられなくなったら、次はまことだもんね」

「えっ？」

まことはおどろき、顔をこわばらせた。

千夏たち三人がニヤニヤと笑う。

「そいつはさ、ずっとまことをかばってたんだよ～。ターゲットが移らないように」

「そうそう。本当にわかりやすいよね～～」

「まこともさー、なんで気づかないかな。次は自分だってこと」

まことはようやく理解したのだった。

なぜ、優美がなにも言わずに、まことからはなれていったのかを。

「私のこと、守ってくれてたの……優美？」

優美はだまったまま、悲しそうな瞳をまことにむけた。

そんなふたりを見て、千夏がキャハハと笑う。

「でも、優美をイジるのも、そろそろ飽きてきたしー、次行きたいよね、みんな～～？」

「「行きた～い！」」

「次は誰かな～？」

「「まこと〜！」」

仲間たちがこたえると、千夏は、「イエ〜」とわざとらしくピースサインをつくった。

そのポーズのまま、まことに迫っていく。

「私、顔広いの、知ってるっしょ？　高校に行っても、逃がさないからぁ♡」

ケタケタとみにくく笑うその姿は、まるで悪魔だ。

まことはすくみあがり、動けなくなってしまった。

（またカバンを投げつけられる？　ううん、今度はなぐられるかも…………）

恐怖のあまり、思わず目を閉じた、そのとき。

「――どんなふうに育ったら、あんたみたいな人間になるのかわかんないけど」

優美が静かにそう言い、まことをその場に残して歩きだした。

「どっかの神社で清めてもらったほうがいいんじゃない？」

と、調理台のそばで立ちどまる。

そのとき、まことは「カチッ」という音を聞いたような気がした。

（なんの音!?）

千夏たちには聞こえなかったらしく、まだおもしろそうに笑っている。

「……はは。そっか。あんた、まことを見捨てて帰るつもりなんだ」

「まこと、裏切られてかわいそ〜」

「これからまことには、地獄が待ってるんだね〜」

千夏たちにとりかこまれたまことは、身をすくめて優美を見た。

（優美……）

優美の顔には、悲しみも憎しみも浮かんでいない。

本当に「なにも感じていない」ような様子で、ゆっくりとまことにむかってくる。

「……地獄に行くのはあんたたち」

そう言うが早いか、優美はまことの腕をぐいっとひっぱった。

「な、なに⁉」

動揺しているまことをひきずり、扉を開けてろうかにつきとばす。

「うっ！」

転んでろうかにひざをついたまことを無視して、優美は千夏たちのほうにむきなおった。

「大丈夫。私もいっしょに行ってあげるから」

（いっしょにって、まさか……）

ふいにまことは、異臭がしてくることに気づいた。

（このにおい、もしかしてさっきの音は、ガスの元栓を開いた音!?）

「優美、やめて！」

すると優美は、ろうかに倒れているまことを見つめ、呼びかける。

「まこと」

おだやかに微笑んでささやく。

「あんたは私の希望だよ」

「優美！」

「昔も、これからもずっと……」

優美はろうかにまことをおき去りにして、ゆっくりと扉を閉めはじめた。

ひとりきりで決着をつけるつもりなのだ。

「待って！」

必死に手をのばすまことの胸に、優美との思い出が次々とよみがえった。

初めて話しかけた日。優美はちょっとおどろいたような顔をしていた。

いっしょに遊園地に行った日。ふだんはクールな優美が、めずらしくはしゃいでいた。

いつもの登下校の時間。昨日観たテレビ番組の話や、好きな漫画の話をした。

「じゃあね、まこと」

ぴしゃりと扉が閉まった瞬間、まことは立ちあがり、飛びつくようにしてもう一度扉を開けた。

(まだ間にあう！　今度こそ死なせない！)

そして、調理台のそばをすぎようとしている優美のもとへかけていき、思いきりビンタをする。

ぱんっ、という乾いた音が、家庭科室にひびいた。

「優美が傷ついて、私がなにも思わないって思ってるの!?」

まことの目に涙が浮かぶ。

「自分さえ犠牲になれば、どうにかなる!?　そんなの自分勝手だよ！」

優美は目を見開き、打たれた頬を押さえた。

「私だって同じなんだよ………」

優美が死んで、まことがどれだけ悲しい思いをしたか。どれだけ後悔したか。

それを優美にわかってほしかった。

「優美は私のあこがれなんだよ!! 昔も、これからもずっと――」

「まこと………」

優美は、張りつめていた表情をふっとゆるませ、調理台の下あたりに手をやる。ガスの元栓を閉めようとしているのだ。

(よかった! これでもう、爆発事故は起きない!)

まことがほっとして微笑んだそのときだった。

「は? なに、その友情ごっこ」

千夏が近づいてきて、優美をつきとばす。その拍子にまことにぶつかり、ふたりは転びそうになった。

「まじでムカついてきた」

ぱん
…優美がキズついて
私が何も感じないって思ってるの!?
自分さえ犠牲になればいいって…!?
そんなの自分勝手だよ!
…
私だって同じなんだよ…

「ん？　なにこのにおい………」

仲間のひとりが、くんくんと鼻を鳴らす。

「ねぇ、千夏。なんか変なにおいしない？」

しかし、激怒している千夏は、においになど気づいていないようだ。

「うるさいっ！　こいつらにお仕置きしてやる………」

と、ポケットからなにかをとりだした。

使い捨てライターだ。

まことたちが中学生だったころのライターはレバーが軽く、子どもでも簡単に火をつけることができた。千夏が持っているのは、そのタイプだ。

「ダメ！　ライターを捨てて！」

しかし千夏は、レバーに親指をかける。

それがどういう結果をもたらすのか、未来から来たまことには、たやすく想像できた。

「ダメっ!!」

まことが飛びつこうとする。

しかし、それより先に優美が、まことをかばうように抱きしめた。

ドッ!!

爆音が耳をつんざいた。
同時に、体が宙に浮いたように感じ、あたりが真っ暗になる。
(優美……どこにいるの……)
そう思ったきり、まことは意識を失った。

――まこと。

優美の声がした。
あのころ、毎日のように聞いていた、強くやさしい声が。

「まことさん」

ゆっくりとまぶたを開く。

まことは、ベッドの上にいた。

枕を背もたれにして上半身を起こしており、どうやらうたた寝をしていたようだ。

「まことさん、ご家族の方が見えてますよ」

笑顔の介護士が、まことの顔をのぞきこんでいる。

ここは、まことが暮らしている介護施設。

ゆっくり視線を動かすと、まことの娘と、孫娘のサラが、ベッドの脇に立っていた。

いまここへ来たばかりらしく、娘はカバンを肩にかけていた。

「目が覚めましたか？」

（え………？）

夢だったのだろうか。

ひざの上には、爆発事故の記事をスクラップしたノートが広げてあった。

ノートを見ているうちに、眠ってしまったようだ。妙な夢を見たせいか体がだるく、あまり動きたくなかった。

娘と介護士が話している。

「この間はすみませんでした。勝手にお部屋からいなくなっちゃって」

「いえいえ。ちゃんとご自分で帰ってきたんで、大丈夫ですよー」

「もー、心配かけないでよね、お母さん」

と、娘が、まことの腕をそっとさわる。

「まことさん、最近、具合のほうが――ちょっとよろしいですか」

「ええ。お母さん、ちょっと待っててね」

介護士につれられ、娘が部屋の外にでていく。

まことの頭はぼんやりとして、もやがかかっているようだった。

(……ああ、そうか……私は……)

優美のことを、何十年もずっと後悔していた。

私がそばにいれば、と。

先に帰ったりしなければ、優美は死ななかったかもしれない、と。

そんなとき、五歳の孫娘、サラが教えてくれたのだった。

『ばーちゃん、知ってる？　あそこの中学の祠にね、お願いごとするとね、なんでも叶っちゃうんだって』

『へえ、そうなの』

『うん。祠は学校の裏にあるんだって』

ちょうどいい話を聞いたと、まことは思った。

（優美のいない人生なんて、意味がない）

数日前の夜、まことは施設を抜けだして、中学校の裏にある祠へむかった。

お供え物にするくだものの包みを持って。

（とりもどしたい）

ということは、あれは夢ではなく、祠の神さまがまことの願いを聞いて、時間を戻してくれたのだろうか？

(…………いいえ。きっと、ただの夢)

まことは自分の手を見つめた。

その手で優美の命をつなぎとめることができなかった。

夢のなかでも、優美はまことをかばって全身に爆風をあび、吹きとんでしまった。

(結局、最後までとりもどせなかったのね)

やるせない気持ちでいたまことに、サラが話しかけてきた。

「ねえ、ばーちゃん」

「ん?」

「中学校の先生だったたって本当!?」

「え? …………ええ。そう」

「だって、こんなにたくさん書いてある!」

と、サラはチェストの上にあった色紙をとり、まことに見せる。

教育実習で母校の中学校を訪れたときに、生徒が書いてくれたものだ。

「先生に出会えてよかったです」「まこと先生サイコー」「将来は先生みたいな教師になり

たいです」「悩みとか聞いてくれてありがとう」など――温かいメッセージでいっぱいだった。

「ばーちゃん、いい先生だったんだね」

チェストの上には、色紙の他にも、教え子といっしょに写っている写真や、子どものころ、優美とならんで撮った写真も飾ってある。

『まことは先生にむいている』

『あんたは私の希望だよ』

優美はそう言ってくれた。

でも、「希望」なんて言ってもらえるほどのことが、できたのだろうか。

(私、ちゃんといい先生になれてたかしら……………)

まことは心のなかでつぶやいた。

ろうかにいた娘が部屋をのぞき、サラに手招きをした。

「サラ、こっちに来てちょうだい」

「ママが呼んでるから、ちょっと行ってくるね」

まことは小さくうなずいた。なぜだかとても疲れていて、声をだして返事をすることもおっくうだ。

サラが部屋をでていくと、まことはひとりになった。

枕に体をあずけ、天井を見あげる。

開けはなたれた窓からやわらかい風が吹いてきて、カーテンをゆらした。

するとそのとき、不思議なことが起きた。

「おかえりなさい」

聞き覚えのない少女の声が、枕もとから聞こえたのだ。

(誰?)

「残念だったわね。せっかく過去に戻してあげたのに、意味がなかったかしら」

今度は声だけでなく、人の気配も感じた。

(祠の神さま……………?)

振りかえって姿を見たいけれど、ひどく体が重くて、頭を動かすこともできない。

だからまことは、知らなかった。

声の主が、優美にそっくりだということを。長い髪も、セーラー服姿も、優美とうりふたつだ。

ただ優美とはちがい、下半身がない。

(ちゃんと来てくれたのね……………神さま)

まことは、この神さまは優美ととても似ているのではないかと思った。姿を見なくても、なんとなくそう思えた。

(だって、すごく安心するもの)

まことは、少しずつくちびるを開いた。さっきまでだせなかった声が、いまはだせそうだ。

「意味がなかったなんて、そんなことないわ」

思ったよりも凛とした声がこぼれだす。

「全部………全部つながってるの。優美がいなくなってつらかった。いじめをなくしたくて先生になった。いい教え子にも出会えた」

悲しい過去を変えることはできなかったけれど、あの過去があったからこそ、いまのまことがいる。

あの経験があったから、いじめを見すごさず、きちんと生徒たちの声に耳をかたむける教師になれたのだ。

優美が生きられなかったぶんまで、まことは一生懸命に生きた。

「こんな歳まで生きてこられたから……」

そうささやいて、静かにまぶたを閉じる。

「ありがとう、神さま……」

神さまと呼ばれた少女が、こたえるように顔をあげた。

その瞳は猫のようにたて長で、金色に光っていた。

彼女の名前は、黄泉。

優美の幽体に封印されている神さまだ。

黄泉がもう一度まことを見つめると、まことの手は力を失い、ぽとりと布団の上に落ちた。呼吸がとまっている。

もう動かなくなったその手に、黄泉は宝物でも扱うような丁寧さでふれる。

そして愛おしげに頬をなで、ひたいにやさしいキスをした。

「おやすみなさい」

まことの表情はおだやかで、まるで眠っているようだ。


ろうかにいたサラがやってきて、ちらりと部屋をのぞいた。

すると、ベッドのむこうに、セーラー服を着た少女が座っている。

「あれ？　あの人、いつ来たんだろう？」

少女はまことの手をにぎり、静かに見守っている。

少女の下半身は、ベッドにさえぎられているせいか、サラのいる場所からは見えなかった。

「ねぇ、ママ。あの人だぁれ？」

母親は、介護士とむずかしい話をしている最中で、サラの声に気づかなかった。

でも、もし大人たちが部屋をのぞいたとしても、黄泉の姿は見えなかっただろう。

姿が見えたのは、子どものサラにだけ。

「ばーちゃんのお友だちかなぁ」

きっと親友にちがいない、とサラは思った。

だってふたりとも、あんなにやさしい顔をしているのだから。

窓から吹いてきた風が、ふたりの髪をさわさわとゆらす。

注ぎこむ光は、まるで祝福を与えるように、ふたりをやわらかく包んでいた。

ねぇ
あの人だぁれ？
ばーちゃんのお友達かなぁ

エピローグ

百三十九時間目の授業を終わります。
これが、私たちに起きた出来事です。
優美は、大切な友だちを守るために死んでしまいました。
親友のまことは、優美を死なせないために過去に戻りますが…………。
結局、悲しい運命を変えることはできませんでした。
でも、その過去のおかげで、まことは、いじめに立ちむかう勇気を手に入れたのです。
そして、学校の先生になることもできました。
まことが言うとおり、全部つながっていたんですね。
そうそう。まことは、十一時間目「黄泉の真実」にも登場しています。
大人になったまことが、教育実習生として、中学校に行く話です。

みなさんのなかには、あの授業を覚えている方もいるのでは？

それから、百時間目「黄泉の誕生」では、幽霊だった優美の体に、黄泉が封じられるいきさつが語られます。

まだ授業を受けていない方は、ぜひチェックしてくださいね！

それでは、次回の絶叫学級で、またお目にかかりましょう！

この作品は、集英社よりコミックスとして刊行された『絶叫学級 転生』9、12、18、19巻をもとに、ノベライズしたものです。

集英社みらい文庫

絶叫学級(ぜっきょうがっきゅう)
黄泉(よみ)に眠(ねむ)る記憶(きおく)編(へん)

いしかわえみ　原作・絵
はのまきみ　著

ファンレターのあて先
〒101-8050　東京都千代田区一ツ橋 2-5-10　集英社みらい文庫編集部
いただいたお便りは編集部から先生におわたしいたします。

2024 年 3 月 27 日　第 1 刷発行

発行者　今井孝昭
発行所　株式会社 集英社
〒101-8050　東京都千代田区一ツ橋 2-5-10
電話　編集部 03-3230-6246
読者係 03-3230-6080
販売部 03-3230-6393（書店専用）
https://miraibunko.jp
装丁　平松はるか（クリエイションハウス）　中島由佳理
印刷　TOPPAN 株式会社
製本　TOPPAN 株式会社

★この作品はフィクションです。実在の人物・団体・事件などにはいっさい関係ありません。

ISBN978-4-08-321841-5　C8293　N.D.C.913　202P　18cm

「りぼん」連載の人気ホラー・コミックのノベライズ!!

いしかわえみ・原作/絵　はのまきみ（25より）・桑野和明（24まで）・著

既刊案内

1 禁断の遊び 編
2 暗闇にひそむ大人たち 編
3 くずれゆく友情 編
4 ゆがんだ願い 編
5 ニセモノの親切 編
6 プレゼントの甘いワナ 編
7 いつわりの自分 編
8 ルール違反の罪と罰 編
9 終わりのない欲望 編
10 悪夢の花園 編
11 いじめの結末 編
12 家族のうらぎり 編
13 不幸を呼ぶ親友 編
14 死を招く都市伝説 編
15 呪われた初恋 編
16 満たされないココロ 編
17 笑顔の裏の本音 編
18 ナイモノねだりの報い 編
19 人気者の正体 編
20 いびつな恋愛 編
21 つきまとう黒い影 編
22 悪意にまみれた友だち 編
23 災いを生むウワサ 編
24 悪魔のいる教室 編
25 むきだしの願望 編
26 還り道のない旅 編
27 黄泉の誕生 編
28 むしばまれた家 編
29 繰りかえすコドモタチ 編
30 見えない侵入者 編
31 赤い断末魔 編
32 コンプレックスの奴隷 編
33 ウワサ話の黒幕 編
34 報復ゲームのはじまり 編
35 パーティーのいけにえ 編
36 恋人たちの化けの皮 編
37 しのびよる毒親 編
38 黄泉に眠る記憶 編

36 恋人たちの化けの皮編

彼氏の家に招かれ、そこで予想だにできない家族を紹介される「オリの恋人」ほか4話を収録！

37 しのびよる毒親編

真夜中に立ち聞きした家族たちの会話で自分が処分されると知る「家族会議」ほか3話を収録！

最新刊

38 黄泉に眠る記憶編

黄泉の誕生に深く関わる秋元優美の死。その真相が明かされる「黄泉の追想」ほか4話を収録！

私、宮原優佳。進学校の私立きら星学園に入学したけど、
いつしか「まじめな優等生の委員長」と呼ばれるようになって……
まだ友達はできないままなんだ。そんな中、学年一の問題児で
クラスメイトの柏木隼人くん（なんと、金髪なの！）の
面倒を見るようにと担任の先生から頼まれて…!?
ある日、職員室で、ギターバッグを抱えて柏木くんが大あばれ!?

宮原優佳

私立きら星学園の中1。入試に首席合格し、クラス委員長を務める。真面目で頑張り屋さんだが、クラスメイトには伝わらず空回り…？

光原春太

月ノ川中学の1年生。隼人とは小学校からの幼なじみ。おしゃべりで、女の子を口説くのが上手!?

柏木隼人

私立きら星学園の中1。金髪に加え、遅刻・早退は当たり前…という生活態度で先生から目をつけられているが、成績は良い。

「誰にも見せていない自分がいる」すべての人に贈る、
想いを叫ぶ!! アオハルロック・ストーリー!!

「みらい文庫」読者のみなさんへ

言葉を学ぶ、感性を磨く、創造力を育む……、読書は「人間力」を高めるために欠かせません。

たった一枚のページをめくる向こう側に、未知の世界、ドキドキのみらいが無限に広がっている。

これこそが「本」だけが持っているパワーです。

学校の朝の読書に、休み時間に、放課後に……。いつでも、どこでも、すぐに続きを読みたくなるような、魅力に溢れる本をたくさん揃えていきたい。読書がくれる、心がきらきらしたり胸がきゅんとする瞬間を体験してほしい、楽しんでほしい。みらいの日本、そして世界を担うみなさんが、やがて大人になった時、「読書の魅力を初めて知った本」「自分のおこづかいで初めて買った一冊」と思い出してくれるような作品を一所懸命、大切に創っていきたい。

そんないっぱいの想いを込めながら、作家の先生方と一緒に、私たちは素敵な本作りを続けていきます。「みらい文庫」は、無限の宇宙に浮かぶ星のように、夢をたたえ輝きながら、次々と新しく生まれ続けます。

本を持つ、その手の中に、ドキドキするみらい――。

本の宇宙から、自分だけの健やかな空想力を育て、“みらいの星”をたくさん見つけてください。

そして、大切なこと、大切な人をきちんと守る、強くて、やさしい大人になってくれることを心から願っています。

2011年 春

集英社みらい文庫編集部